Corneille
Polyeucte

tragédie

Édition présentée, annotée et commentée
par
CATHERINE POISSON
*chargée de cours
à New York University*

LAROUSSE

© Larousse 1991
ISBN 2-03-871105-4
(Collection fondée par Félix Guirand et continuée par Léon Lejealle.)

Sommaire

Du droit à la tragédie

1606
Naissance à Rouen, le 6 juin, de Pierre Corneille dans une famille pieuse de la petite bourgeoisie. Son père est avocat au parlement de Rouen.

1615-1622
Pierre Corneille fait ses études au collège des jésuites de Rouen. C'est un élève brillant qui se passionne pour l'histoire de Rome et pour les auteurs latins.

1622-1624
Fidèle à la tradition familiale, Corneille entreprend des études de droit. Devenu avocat en 1624, il s'inscrit au barreau de Rouen. La légende veut qu'il n'ait plaidé qu'une fois.

1628
Le père de Pierre Corneille lui achète deux « offices » d'avocat du roi, pour les Eaux et Forêts et pour l'amirauté au palais de justice de Rouen. Ces fonctions sont d'ordre administratif et Corneille les conservera jusqu'en 1650.

1629-1636
À la suite, semble-t-il, d'une aventure sentimentale, Corneille écrit sa première comédie, *Mélite ou les Fausses Lettres,* et la confie à une troupe théâtrale de passage dans sa ville natale. La même année (1629-1630), elle est jouée à Paris. Encouragé par le succès, il compose de nouvelles pièces, entre autres : *la Veuve,* en 1631, *la Place royale,* en 1633, et *l'Illusion comique,* qui clôt, en 1636, un premier cycle de comédies. C'est le début de la notoriété.

Un conseiller (juriste et administrateur) du parlement sous Louis XIV.
Gravure de S. Le Clerc (1637-1714).
Bibliothèque nationale, Paris.

Vers le début des années 1630, Richelieu entreprend de réorganiser la vie littéraire française pour la mettre à son service et diriger l'opinion publique : il s'entoure de cinq jeunes poètes, dont Corneille, qui n'a pas 30 ans à l'époque, et leur soumet des sujets d'inspiration. En 1634, l'Académie française est créée : dans l'esprit du cardinal, elle doit contribuer à étendre en Europe le prestige de la langue et de la littérature françaises. Corneille en deviendra membre en 1647.

1637-1642

Corneille fait jouer *le Cid,* tragi-comédie qui remporte un succès inouï auprès du public (1637). Mais la pièce est fortement décriée par certains car elle manque aux règles classiques (en particulier, elle choque la bienséance). C'est la célèbre « querelle » du *Cid.* Après un silence de trois ans, Corneille présente trois nouvelles tragédies qui établiront sa gloire : *Horace* (1640), *Cinna* (1641) et *Polyeucte* (1642). En 1641, il se marie avec une jeune femme de 23 ans, Marie de Lampérière.

1643-1651

Corneille écrit beaucoup : il continue à produire des tragédies (*la Mort de Pompée* en 1643, *Rodogune* en 1644) mais il fait aussi de nouvelles incursions dans le domaine de la comédie, notamment avec *le Menteur* en 1643. Il travaille également à une adaptation en vers de *l'Imitation de Jésus-Christ,* écrite en latin ; les premiers livres sont publiés en 1651. Cette traduction, dont la parution s'achève en 1656, connaît un énorme succès.

1652-1660

La représentation de *Pertharite* (1651-1652) est un échec et marque le début de la baisse de popularité de Corneille. Il renonce alors au théâtre. En 1659, il cède aux sollicitations du surintendant Fouquet et donne une nouvelle tragédie, *Œdipe,* qui est bien reçue. L'année suivante, il établit une édition complète de son théâtre, à laquelle il joint trois *Discours sur le poème dramatique* et les examens de chaque pièce.

1661-1674

Pendant cette période, Corneille écrit encore dix pièces, mais l'accueil du public est assez froid. À partir de 1667, le succès de Racine entame de plus en plus le prestige de Corneille. En 1670, il présente *Tite et Bérénice,* tragédie qui est éclipsée par la *Bérénice* de Racine, jouée quelques jours plus tôt.

Sa dernière tragédie, *Suréna,* est créée quatre ans plus tard ; cette œuvre émouvante passera pourtant presque inaperçue. Corneille met alors un terme définitif à sa carrière théâtrale.

1676-1684

Il reçoit un ultime hommage en 1676, lorsque Louis XIV fait représenter à Versailles six de ses tragédies. En 1682, Corneille travaille à une dernière révision de son théâtre. Il meurt à Paris le 1er octobre 1684.

Corneille

création
de
Polyeucte
1642-1643

six tragédies
de Corneille jouées
à Versailles
1676

1606   1642-1643   1676 ——— 1684

La Bruyère (1645-1696)

Racine (1639-1699)

Boileau (1636-1711)

Pascal (1623-1662)

Molière (1622-1673)

La Fontaine (1621-1695)

Scudéry (1601-1667)

Descartes (1596-1650)

1634 : fondation de l'Académie française

Henri IV 1589-1610	Régence	Louis XIII (1617-1643)	Régence d'Anne d'Autriche	Louis XIV (1661-1715)

1618-1648 :
guerre de Trente Ans

1642 :
mort de Richelieu

1648-1653 :
la Fronde

8

Polyeucte,
ou la clôture d'un cycle

La date de la création de *Polyeucte* a été longtemps discutée. Une première lecture, privée, en aurait été faite à la fin de 1642, en présence de Richelieu, et sa création devant le public parisien daterait des dernières semaines de 1642 ou du tout début de l'année 1643.

À cette époque, Corneille a déjà une longue carrière derrière lui : il a écrit de nombreuses comédies et plusieurs tragédies. La première d'entre elles, *le Cid* (intitulée « tragi-comédie » dans les premières éditions), a reçu un succès éclatant en dépit de la « querelle » qu'elle a provoquée.

Le cycle des tragédies

Le Cid, Horace et *Cinna* sont généralement considérés comme formant une sorte de cycle que *Polyeucte* fermerait. En effet, ces quatre pièces mettent en scène des personnages qui incarnent les notions de l'héroïsme et de l'honneur cornélien.

Avec Rodrigue *(le Cid)*, Corneille montre la difficile transformation du personnage en héros. Dans *Horace,* le « moi » héroïque est poussé à une telle extrémité que la solitude du héros devient éclatante. Cependant, la conclusion de la pièce s'impose clairement : l'héroïsme ne peut demeurer individuel mais doit être mis au service de l'État.

Enfin, avec *Cinna,* Corneille met en scène le conflit entre l'individu et le monarque, et, cette fois, c'est le souverain, l'empereur Auguste, qui incarne les valeurs héroïques.

Polyeucte reprend aussi une problématique politique, mais, en choisissant de placer le héros au centre d'un conflit entre le pouvoir, l'attachement amoureux et la foi en Dieu, Corneille s'attaque en quelque sorte à l'ultime autorité : on ne peut plus être héros pour son père *(le Cid),* pour soi *(Horace),* ou même pour le pouvoir *(Cinna),* on ne peut l'être que pour Dieu.

L'alliance trouble
du théâtre et de la religion

Une tradition de soupçon

Le public applaudit *Polyeucte,* mais cette « tragédie chrétienne »,
comme Corneille a qualifié la pièce, provoque aussi de nombreux commentaires. Pourquoi? Parce qu'à cette période il est
délicat de parler de religion au théâtre.

Les gens d'Église considèrent en effet que la scène n'est pas un
lieu où l'on puisse exposer les problèmes religieux. Même si les
comédiens commencent à être reçus dans le monde, le théâtre
reste un univers que l'on soupçonne d'immoralité et les acteurs
sont toujours officiellement excommuniés (Molière le sera en
1673).

Les mystères du Moyen Âge, drames d'inspiration sacrée, ne
sont plus en vogue depuis le XVIe siècle, des « tragédies
chrétiennes » les ont remplacés. Appréciées du public, elles
suscitent néanmoins des polémiques. De grandes controverses
religieuses, en effet, traversent le siècle.

La question de la grâce divine

Si la querelle entre les jansénistes et les jésuites n'est pas encore
au cœur des débats en 1643, les éléments de divergence
occupent déjà les esprits et certains contemporains trouvent à
Polyeucte un aspect militant.

L'Église est alors divisée en deux grandes tendances : celle des
jansénistes et celle des jésuites. Ces derniers sont membres de la
Compagnie de Jésus, fondée par Ignace de Loyola au XVIe siècle.
Molina (1535-1601), théologien jésuite, met l'accent sur

11

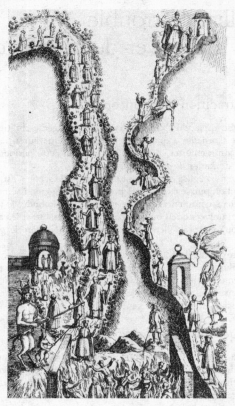

Gravure satirique de 1653. Le « chemin pierreux »
suivi par les jansénistes mène au paradis. Mais le
« chemin de velours » des jésuites conduit en enfer...
Bibliothèque nationale, Paris.

l'espoir de salut que tout homme peut avoir. Les jansénistes, disciples de Jansénius (1585-1638), considèrent cette doctrine comme laxiste et prônent une religion beaucoup plus austère. Ils veulent notamment restaurer le principe de la toute-puissance de Dieu : l'homme ne peut rien par lui-même.

La notion de grâce divine, au centre de la controverse entre les jésuites et les jansénistes, est également un élément central de *Polyeucte* puisque trois personnes sont touchées par la grâce au cours de la pièce. Les jansénistes croyaient en la notion de « grâce suffisante et efficace », c'est-à-dire une grâce qui proviendrait de la seule intervention de Dieu. L'homme était, ou non, prédestiné au salut. Les jésuites défendaient une vision moins pessimiste ; selon eux, chaque homme recevait en lui l'accès à la grâce (« grâce suffisante ») : le libre arbitre de chacun permettant, ensuite, de la rendre, ou non, efficace. À chacun de la mériter, d'y travailler ou d'y renoncer.

Corneille : dramaturge osé ?

Ainsi, si Corneille n'a pas voulu directement se faire l'écho des préoccupations religieuses de l'époque, il met quand même le doigt sur une question sensible. De plus, la pièce montre l'intrusion des passions amoureuses dans un thème religieux, ce qui, à l'époque, était fortement réprouvé. À l'aspect religieux s'ajoutait l'aspect politique : chrétien assoiffé d'absolu vivant à une époque où le christianisme est interdit, le personnage de Polyeucte pouvait également être mal perçu dans la mesure où son héroïsme, se faisant martyre, le conduisait à se révolter contre le pouvoir politique en place.

Polyeucte abordait donc un sujet tabou et Corneille, bien conscient du danger, prévient les critiques dans sa dédicace à la régente, Anne d'Autriche (voir l'Épître à la reine régente, p. 24), où il exalte l'alliance du politique et du religieux à travers un éloge de la monarchie de droit divin (voir p. 171).

Trois conflits de front

Une constellation de préoccupations

Polyeucte est bien autre chose et bien davantage qu'une pièce de propagande religieuse. Corneille était certes pieux mais son souci n'était pas d'exposer sur scène ses propres convictions.

Manière de biaiser avec un problème délicat, mais surtout fidélité à ses sujets de prédilection, Corneille a fait de *Polyeucte* un drame politique et un roman d'amour tout autant qu'une tragédie religieuse. Dès la première scène, le lecteur ou le spectateur sont confrontés à deux conflits, l'un d'ordre religieux et l'autre d'ordre sentimental. Cependant, ce qui rend la lecture de *Polyeucte* intéressante aujourd'hui, c'est son actualité, plus que l'exposition de controverses religieuses : des préoccupations comme le sacrifice de sa vie pour des idées (voir p. 152) ou les questions de l'intolérance et du devoir peuvent en particulier rapprocher les héros de la pièce du lecteur du XXᵉ siècle.

Acte I : Polyeucte face à sa foi et Pauline face à ses sens

La pièce se déroule au IIIᵉ siècle apr. J.-C. en Arménie, qui dépend alors de Rome. Polyeucte, jeune seigneur, gendre du gouverneur Félix, s'est récemment converti au christianisme. Au cours d'une vive discussion, son ami Néarque le presse de recevoir le baptême pour parachever sa conversion, mais Polyeucte hésite : la fille de Félix, Pauline, qu'il vient d'épouser, a eu un rêve alarmant et lui a fait promettre de ne pas sortir (sc. 1). Il se laisse pourtant convaincre par Néarque et s'excuse maladroitement auprès de Pauline (sc. 2). Celle-ci se confie à sa suivante, Stratonice : à Rome, elle a aimé Sévère, mais son père s'était opposé à leur union parce que Sévère n'avait pas de fortune. Ce dernier était alors parti à la guerre et avait disparu au combat. Pour obéir à son père, Pauline a épousé Polyeucte. Son rêve lui a montré son mari livré par les chrétiens à Sévère, qui lui donnait la mort avec l'assentiment de Félix (sc. 3). À ce moment, Félix entre, bouleversé : Sévère n'est pas mort. Glorieux soldat, devenu le favori de l'empereur Décie, il est maintenant de retour; Félix, craignant sa vengeance, ordonne à sa fille d'aller à sa rencontre. Devant les injonctions de son père, Pauline finit par céder (sc. 4).

Acte II : Honneur, devoir et conviction

Sévère, bouleversé d'apprendre que Pauline est mariée, se prépare à leur entrevue (sc. 1). Pauline lui avoue conserver de l'amour pour lui mais décide d'obéir à son devoir; la séparation semble la seule solution et Sévère se résigne (sc. 2). Polyeucte, à qui Pauline vient de faire part de sa décision, admire la vertu de son épouse. Mais il est attendu pour assister au sacrifice que Sévère offre aux dieux pour ses victoires. Comme Néarque lui reproche d'aller à cette cérémonie païenne alors qu'il vient de recevoir le baptême, Polyeucte lui révèle ses véritables intentions : il ne se rend au temple que pour briser les idoles. Néarque, plus mesuré, tente de le retenir mais Polyeucte parvient finalement à le gagner à sa cause (sc. 6).

Acte III : la foi de Polyeucte

Stratonice rejoint Pauline, perdue dans son tourment, pour lui révéler la conversion de Polyeucte et son éclat public au temple avec Néarque (sc. 2). Sur l'ordre de Félix, furieux, tous deux ont

15

été arrêtés et Néarque, mené au supplice. Félix espère que son gendre sera ébranlé par le sort de Néarque. Mais Polyeucte n'a pas l'intention de se renier. Félix entreprend de le faire revenir sur ses décisions et engage Pauline à faire de même (sc. 4).

Acte IV : le renoncement au bonheur terrestre

Apprenant la visite de Pauline, Polyeucte demande à avoir un entretien avec Sévère (sc. 1). Il renonce au bonheur terrestre et exalte la béatitude céleste qui l'attend (sc. 2). Pauline tente de

Le martyre de saint Ignace (IIe siècle apr. J.-C.),
dans les arènes de Rome. Gravure de Luyken (1649-1712).
Bibliothèque nationale, Paris.

fléchir Polyeucte en vain : il ne souhaite que la conversion de Pauline (sc. 3). Avant de mourir, il confie celle-ci à Sévère (sc. 4) mais elle ne demande à ce dernier que d'exercer sa générosité en sauvant son mari (sc. 5). Sévère accepte d'intervenir auprès de Félix en faveur de son rival (sc. 6).

Acte V : les effets de la grâce

Félix, n'ayant pas cru à la sincérité de la démarche de Sévère, fait une dernière tentative pour sauver Polyeucte, qui y répond par l'ironie (sc. 2). Pauline essaie à son tour de persuader son mari, puis son père, mais Polyeucte ne cesse de proclamer sa foi et il est envoyé à la mort (sc. 3). Pauline est convertie après avoir assisté au supplice de Polyeucte et c'est en chrétienne qu'elle affronte son père (sc. 5). Celui-ci est également touché par la grâce. Sévère affirme sa sympathie pour les chrétiens et promet d'intercéder en leur faveur auprès de l'empereur pour que cessent les persécutions (sc. 6).

Des personnages en déplacement

Une structure de couples

Les trois conflits qui habitent *Polyeucte,* religieux, politique et sentimental, se retrouvent dans la répartition même des personnages et les divers couples qu'ils forment. Un simple examen de la liste des personnages qui précède la pièce fait apparaître ces couples. Certains, comme le héros ou l'héroïne et son (sa) confident(e), sont traditionnels, d'autres cependant ont une fonction différente, ou inhabituelle, qui traduit bien la pluralité des conflits en jeu dans *Polyeucte*. Parmi ces duos de personnages, il en est qui ne s'articulent qu'autour d'une des trois problématiques, religieuse, amoureuse ou politique ; d'autres, au contraire, rassemblent les trois conflits qui habitent *Polyeucte*.

— Le conflit religieux peut ainsi être illustré par les couples Polyeucte-Pauline et Polyeucte-Néarque, dont le dialogue est entièrement fondé sur la foi.

— Le conflit politique est représenté par Polyeucte et Félix, mais également par Sévère et Félix.

— Le conflit d'ordre sentimental est principalement illustré par Pauline et Sévère, mais il est aussi au cœur de l'opposition entre Pauline et Polyeucte.

Variations

Cependant, les combinaisons sont multiples et varient considérablement au cours de la pièce. En effet, le couple Polyeucte-Pauline dont le dialogue ne semble relever que de l'ordre sentimental se transforme en dialogue d'ordre politique et religieux. Pauline et Polyeucte, liés par l'attachement conjugal, ne partagent toutefois pas la même religion, l'un est chrétien, l'autre « infidèle » et ils ne se trouveront réunis par la foi qu'au dénouement.

Il en va de même pour Sévère et Pauline : si leur couple est d'abord placé sous le signe du sentiment, leurs retrouvailles en revanche se situent (contre le gré de Sévère et sur ordre de Félix pour Pauline) sur le plan politique. De la même manière, la rencontre de Polyeucte et de Sévère a un double objet : sentimental et politique.

Quelques termes fréquents dans *Polyeucte*

amant(e) : qui aime et est aimé(e) en retour.

appas : attraits, charmes.

ardeur : 1. flamme amoureuse; 2. zèle religieux.

charme : sortilège, envoûtement.

charmer : 1. attirer, plaire; 2. envoûter.

cœur : courage.

courage : 1. cœur; 2. force d'âme.

déplaisir : violent chagrin.

devoir : 1. ce qui est dicté par la morale; 2. le sens du devoir.

ennui : tourment, désespoir.

feu(x) : ardeur des passions (vocabulaire galant, voir p. 188).

flamme : amour, passion (vocabulaire galant).

foi : 1. croyance en Dieu; 2. engagement, promesse; 3. fidélité à un engagement, loyauté.

fureur : ardeur incontrôlable, folie.

gloire : 1. renommée; 2. prestige moral dû à l'accomplissement du devoir; 3. toute-puissance de Dieu.

grâce : 1. aide accordée par Dieu à l'homme pour permettre son salut; 2. pardon; 3. au pluriel : charmes, attraits.

hasard : danger, risque.

heur : bonheur.

honneur : 1. dignité morale; 2. au pluriel : distinctions.

hymen, hyménée : mariage.

manie : folie, excès.

séduire : persuader, tromper; au passif : être conquis par quelqu'un ou quelque chose.

soupir : supplication ou manifestation amoureuse.

soupirer : 1. regretter; 2. supplier.

tourment : souffrance physique ou morale.

triste : funeste, sinistre.

vertu : force et valeur morale.

zèle : ardeur, ferveur.

Portrait de Corneille, gravé par Saint-Aubin (1736-1807)
d'après le buste fait par Caffiéri (1725-1792).
Bibliothèque nationale, Paris.

CORNEILLE

Polyeucte

tragédie
représentée pour la première fois
en 1642

Épître[1] à la reine régente[2]

MADAME,

Quelque connaissance que j'aie de ma faiblesse, quelque profond respect qu'imprime Votre Majesté dans les âmes de ceux qui l'approchent, j'avoue que je me jette à ses pieds sans timidité et sans défiance, et que je me tiens assuré de lui plaire parce que
5 je suis assuré de lui parler de ce qu'elle aime le mieux. Ce n'est qu'une pièce de théâtre que je lui présente, mais qui l'entretiendra de Dieu : la dignité de la matière est si haute, que l'impuissance de l'artisan ne la peut ravaler[3] ; et votre âme royale se plaît trop à cette sorte d'entretien pour s'offenser des défauts
10 d'un ouvrage où elle rencontrera les délices de son cœur. C'est par là, Madame, que j'espère obtenir de Votre Majesté le pardon du long temps que j'ai attendu à lui rendre cette sorte d'hommages. Toutes les fois que j'ai mis sur notre scène des vertus morales ou politiques, j'en ai toujours cru les tableaux trop peu
15 dignes de paraître devant Elle, quand j'ai considéré qu'avec quelque soin que je les pusse choisir dans l'histoire, et quelques ornements dont l'artifice les pût enrichir, elle en voyait de plus grands exemples dans elle-même. Pour rendre les choses proportionnées, il fallait aller à la plus haute espèce, et n'entreprendre
20 pas de rien offrir de cette nature à une reine très chrétienne, et

---

1. *Épître* : lettre (ici, lettre par laquelle Corneille dédie son texte à la reine).
2. Anne d'Autriche, veuve de Louis XIII. La pièce devait être dédiée à Louis XIII mais celui-ci mourut avant qu'elle ne soit imprimée.
3. *Ravaler* : déprécier.

qui l'est beaucoup plus encore par ses actions que par son titre, à moins que de lui offrir un portrait des vertus chrétiennes dont l'amour et la gloire de Dieu formassent les plus beaux traits, et qui rendît les plaisirs qu'elle y pourra prendre aussi propres à
25 exercer sa piété qu'à délasser son esprit. C'est à cette extraordinaire et admirable piété, Madame, que la France est redevable des bénédictions qu'elle voit tomber sur les premières armes de son roi[1], les heureux succès qu'elles ont obtenus en sont les rétributions éclatantes, et des coups du ciel, qui répand
30 abondamment sur tout le royaume les récompenses et les grâces que Votre Majesté a méritées. Notre perte semblait infaillible après celle de notre grand monarque; toute l'Europe avait déjà pitié de nous, et s'imaginait que nous nous allions précipiter dans un extrême désordre, parce qu'elle nous voyait dans une
35 extrême désolation : cependant la prudence et les soins de Votre Majesté, les bons conseils qu'elle a pris, les grands courages qu'elle a choisis pour les exécuter, ont agi si puissamment dans tous les besoins de l'État que cette première année de sa régence a non seulement égalé les plus glorieuses de l'autre règne, mais a
40 même effacé, par la prise de Thionville, le souvenir du malheur[2] qui, devant ses murs, avait interrompu une si longue suite de victoires. Permettez que je me laisse emporter au ravissement que me donne cette pensée, et que je m'écrie dans ce transport :

Que vos soins, grande Reine, enfantent de miracles!
45 Bruxelles et Madrid en sont tous[3] interdits;
Et si notre Apollon me les avait prédits,
J'aurais moi-même osé douter de ses oracles.

---

1. Victoire de Rocroi le 19 mai 1643 et victoire de Thionville le 18 août 1643, remportées par le prince de Condé.
2. En 1639, le marquis de Feuquières avait été vaincu en essayant de prendre Thionville.
3. *Tous :* tout (pouvait s'accorder quand il était employé comme adverbe).

Sous vos commandements, on force tous obstacles ;
On porte l'épouvante aux cœurs les plus hardis,
50 Et par des coups d'essai vos États agrandis
Des drapeaux ennemis font d'illustres spectacles.

La Victoire elle-même accourant à mon roi,
Et mettant à ses pieds Thionville et Rocroi,
Fait retentir ces vers sur les bords de la Seine :

55 « France, attends tout d'un règne ouvert en triomphant,
Puisque tu vois déjà les ordres de ta reine
Faire un foudre[1] en tes mains des armes d'un enfant[2]. »

Il ne faut point douter que des commencements si merveilleux
ne soient soutenus[3] par des progrès encore plus étonnants. Dieu
60 ne laisse point ses ouvrages imparfaits : il les achèvera, Madame,
et rendra non seulement la régence de Votre Majesté, mais
encore toute sa vie, un enchaînement continuel de prospérités.
Ce sont les vœux de toute la France, et ce sont ceux que fait avec
plus de zèle,

MADAME,

De Votre Majesté

Le très humble, très obéissant
et très fidèle serviteur et sujet,
CORNEILLE.

---

1. *Foudre* : ici, puissance redoutable (au XVIIe siècle, « foudre » est souvent au
masculin quand il est employé au sens figuré).
2. À son avènement Louis XIV avait moins de cinq ans.
3. *Soutenus* : renforcés, suivis.

Abrégé du martyre
de saint Polyeucte

écrit par Siméon Métaphraste[1]
et rapporté par Surius[2].

L'ingénieuse tissure[3] des fictions avec la vérité, où consiste le plus
beau secret de la poésie, produit d'ordinaire deux sortes d'effets,
selon la diversité des esprits qui la voient. Les uns se laissent si
bien persuader à cet enchaînement qu'aussitôt qu'ils ont remar-
5 qué quelques événements véritables, ils s'imaginent la même
chose des motifs qui les font naître et des circonstances qui les
accompagnent; les autres, mieux avertis de notre artifice,
soupçonnent de fausseté tout ce qui n'est pas de leur connaissance; si bien que, quand nous traitons quelque histoire écartée
10 dont ils ne trouvent rien dans leur souvenir, ils l'attribuent tout
entière à l'effort de notre imagination et la prennent pour une
aventure de roman.
    L'un et l'autre de ces effets serait[4] dangereux en cette
rencontre[5]; il y va de la gloire de Dieu, qui se plaît dans celle de
15 ses saints, dont la mort si précieuse devant ses yeux ne doit pas

---

1. *Siméon Métaphraste* : hagiographe (écrivain dont l'œuvre s'attache à
raconter la vie des saints), byzantin du Xe siècle.
2. Surius compléta le travail de Siméon et publia en 1570 un recueil de *Vies de
saints (Vitae sanctorum)*, en 6 volumes.
3. *Tissure* : mélange.
4. *Serait* : seraient. Au XVIIe siècle, le verbe pouvait s'accorder avec le sujet le
plus proche (latinisme).
5. *En cette rencontre* : ici.

passer pour fabuleuse[1] devant ceux des hommes. Au lieu de sanctifier notre théâtre par sa représentation, nous y profanerions la sainteté de leurs souffrances si nous permettions que la crédulité des uns et la défiance des autres, également abusées par
20 ce mélange, se méprissent également en la vénération qui leur est due, et que les premiers la rendissent mal à propos à ceux qui ne la méritent pas, cependant que les autres la dénieraient à ceux à qui elle appartient.

Saint Polyeucte est un martyr dont, s'il m'est permis de parler
25 ainsi, beaucoup ont plutôt appris le nom à la comédie qu'à l'église. Le *Martyrologe romain* en fait mention sur le 13e de février, mais en deux mots, suivant sa coutume; Baronius[2], dans ses *Annales*, n'en dit qu'une ligne; le seul Surius, ou plutôt Mosander[3], qui l'a augmenté dans les dernières impressions, en
30 rapporte la mort assez au long sur le 9e de janvier : et j'ai cru qu'il était de mon devoir d'en mettre ici l'abrégé. Comme il a été à propos d'en rendre la représentation agréable, afin que le plaisir pût insinuer[4] plus doucement l'utilité et lui servir comme de véhicule pour la porter dans l'âme du peuple, il est juste aussi de
35 lui donner cette lumière pour démêler la vérité d'avec ses ornements, et lui faire reconnaître ce qui lui doit imprimer du respect comme saint, et ce qui le doit seulement divertir comme industrieux[5]. Voici donc ce que ce dernier nous apprend.

Polyeucte et Néarque étaient deux cavaliers[6] étroitement liés
40 ensemble d'amitié; ils vivaient en l'an 250, sous l'empire de Décius; leur demeure était dans Mélitène, capitale d'Arménie;

---

1. *Fabuleuse* : imaginaire, inventée.
2. *Baronius* : cardinal du XVIe siècle.
3. Mosander compléta à la fin du XVIe siècle le travail entrepris par Surius.
4. *Insinuer* : introduire (« insinuer » n'a pas, au XVIIe siècle, une connotation péjorative).
5. *Industrieux* : provenant de l'artiste.
6. *Cavaliers* : gentilshommes, nobles.

leur religion différente : Néarque étant chrétien, et Polyeucte suivant encore la secte des gentils[1], mais ayant toutes les qualités dignes d'un chrétien et une grande inclinaison à le devenir.

45 L'empereur ayant fait publier un édit[2] très rigoureux contre les chrétiens, cette publication donna un grand trouble à Néarque, non pour la crainte des supplices dont il était menacé, mais pour l'appréhension qu'il eut que leur amitié ne souffrît quelque séparation ou refroidissement par cet édit, vu les peines qui y

50 étaient proposées à ceux de sa religion et les honneurs promis à ceux du parti contraire ; il en conçut un si profond déplaisir que son ami s'en aperçut, et, l'ayant obligé de lui en dire la cause, il prit de là occasion de lui ouvrir son cœur : « Ne craignez point, lui dit-il, que l'édit de l'empereur nous désunisse ; j'ai vu cette

55 nuit le Christ que vous adorez : il m'a dépouillé d'une robe sale pour me revêtir d'une autre lumineuse et m'a fait monter sur un cheval ailé pour le suivre ; cette vision m'a résolu entièrement à faire ce qu'il y a longtemps que je médite ; le seul nom de chrétien me manque ; et vous-même, toutes les fois que vous

60 m'avez parlé de votre grand Messie, vous avez pu remarquer que je vous ai toujours écouté avec respect ; et, quand vous m'avez lu sa vie et ses enseignements, j'ai toujours admiré la sainteté de ses actions et de ses discours. Ô Néarque ! si je ne me croyais pas indigne d'aller à lui sans être initié de ses mystères et avoir reçu

65 la grâce de ses sacrements, que vous verriez éclater l'ardeur que j'ai de mourir pour sa gloire et le soutien de ses éternelles vérités ! » Néarque l'ayant éclairci du scrupule où il était par l'exemple du bon larron, qui en un moment mérita le ciel, bien qu'il n'eût pas reçu le baptême, aussitôt notre martyr, plein d'une

70 sainte ferveur, prend l'édit de l'empereur, crache dessus et le déchire en morceaux qu'il jette au vent ; et, voyant des idoles que

---

1. *Gentils :* païens (par opposition aux chrétiens).
2. *Édit :* règlement publié par un empereur.

le peuple portait sur les autels pour les adorer, il les arrache à ceux qui les portaient, les brise contre terre et les foule aux pieds, étonnant tout le monde et son ami par la chaleur de ce zèle, qu'il
75 n'avait pas espéré.

Son beau-père Félix, qui avait la commission[1] de l'empereur pour persécuter les chrétiens, ayant vu lui-même ce qu'avait fait son gendre, saisi de douleur de voir l'espoir et l'appui de sa famille perdus, tâche d'ébranler sa constance[2], premièrement par
80 de belles paroles, ensuite par des menaces, enfin par des coups qu'il lui fait donner par ses bourreaux sur tout le visage ; mais, n'en ayant pu venir à bout, pour dernier effort il lui envoie sa fille Pauline, afin de voir si ses larmes n'auraient point plus de pouvoir sur l'esprit d'un mari que n'avaient eu ses artifices et ses
85 rigueurs. Il n'avance rien davantage par là ; au contraire, voyant que sa fermeté convertissait beaucoup de païens, il le condamne à perdre la tête. Cet arrêt fut exécuté sur l'heure, et le saint martyr, sans autre baptême que son sang, s'en alla prendre possession de la gloire que Dieu a promise à ceux qui renonce-
90 raient à eux-mêmes pour l'amour de lui.

Voilà en peu de mots ce qu'en dit Surius : le songe de Pauline, l'amour de Sévère, le baptême effectif de Polyeucte, le sacrifice pour la victoire de l'empereur, la dignité de Félix que je fais gouverneur d'Arménie, la mort de Néarque, la conversion de
95 Félix et de Pauline, sont des inventions et des embellissements de théâtre. La seule victoire de l'empereur contre les Perses[3] a quelque fondement dans l'histoire ; et, sans chercher d'autres auteurs, elle est rapportée par M. Coeffeteau[4] dans son *Histoire*

---

1. *Commission* : délégation de pouvoirs.
2. *Sa constance* : ici, la fermeté de sa foi.
3. Voir vers 281 et suivants.
4. *Coeffeteau* : évêque de Marseille ; il publia une *Histoire romaine* en 1621.

romaine; mais il ne dit pas, ni qu'il leur imposa tribut, ni qu'il
100 envoya faire des sacrifices de remerciement en Arménie.

Si j'ai ajouté ces incidents et ces particularités selon l'art[1] ou
non, les savants[2] en jugeront; mon but ici n'est pas de les justifier,
mais seulement d'avertir le lecteur de ce qu'il en peut croire.

---

1. *Selon l'art :* selon les règles de l'art.
2. *Les savants :* les « doctes » qui jugent de l'art selon les règles.

Personnages

Félix, *sénateur romain, gouverneur d'Arménie.*

Polyeucte, *seigneur arménien, gendre de Félix.*

Sévère, *chevalier romain, favori de l'empereur Décie.*

Néarque, *seigneur arménien, ami de Polyeucte.*

Pauline, *fille de Félix et femme de Polyeucte.*

Stratonice, *confidente de Pauline.*

Albin, *confident de Félix.*

Fabian, *domestique de Sévère.*

Cléon, *domestique de Félix.*

Trois gardes.

La scène est à Mélitène[1], capitale d'Arménie, dans le palais de
Félix.

---

1. *Mélitène :* ville alors sous la dépendance de Rome. (Sur l'unité de lieu,
consulter l'Examen de la pièce, p. 146).

Acte premier

SCÈNE PREMIÈRE.   POLYEUCTE, NÉARQUE.

NÉARQUE

Quoi? vous vous arrêtez aux songes d'une femme!
De si faibles sujets troublent cette grande âme!
Et ce cœur tant de fois dans la guerre éprouvé
S'alarme d'un péril qu'une femme a rêvé!

POLYEUCTE

5 Je sais ce qu'est un songe, et le peu de croyance
Qu'un homme doit donner à son extravagance,
Qui d'un amas confus des vapeurs[1] de la nuit
Forme de vains objets que le réveil détruit;
Mais vous ne savez pas ce que c'est qu'une femme :
10 Vous ignorez quels droits elle a sur toute l'âme,
Quand, après un long temps qu'elle a su nous charmer,
Les flambeaux de l'hymen viennent de s'allumer[2].
Pauline, sans raison dans la douleur plongée,
Craint et croit déjà voir ma mort qu'elle a songée;
15 Elle oppose ses pleurs au dessein que je fais,
Et tâche à m'empêcher de sortir du palais.
Je méprise sa crainte, et je cède à ses larmes;
Elle me fait pitié sans me donner d'alarmes;
Et mon cœur, attendri sans être intimidé,
20 N'ose déplaire aux yeux dont il est possédé.

---

1. On pensait à l'époque que des « vapeurs » étaient la cause des rêves.
2. *Les flambeaux ... s'allumer :* Pauline et Polyeucte ne sont mariés que depuis quinze jours (allusion aux torches qu'on allumait lors des mariages).

L'occasion, Néarque, est-elle si pressante
Qu'il faille être insensible aux soupirs d'une amante?
Par un peut de remise[1] épargnons son ennui,
Pour faire en plein repos ce qu'il trouble aujourd'hui.

NÉARQUE

25 Avez-vous cependant une pleine assurance
D'avoir assez de vie ou de persévérance?
Et Dieu, qui tient votre âme et vos jours dans sa main,
Promet-il à vos vœux de le pouvoir demain?
Il est toujours tout juste et tout bon; mais sa grâce
30 Ne descend pas toujours avec même efficace[2],
Après certains moments que perdent nos longueurs[3],
Elle quitte ces traits qui pénètrent les cœurs :
Le nôtre s'endurcit, la repousse, l'égare :
Le bras qui la versait en devient plus avare,
35 Et cette sainte ardeur qui doit porter au bien[4]
Tombe plus rarement, ou n'opère plus rien.
Celle qui vous pressait de courir au baptême,
Languissante déjà, cesse d'être la même,
Et pour quelques soupirs qu'on vous a fait ouïr,
40 Sa flamme se dissipe et va s'évanouir.

POLYEUCTE

Vous me connaissez mal : la même ardeur me brûle,
Et le désir s'accroît quand l'effet[5] se recule :
Ces pleurs, que je regarde avec un œil d'époux,
Me laissent dans le cœur aussi chrétien que vous;
45 Mais pour en recevoir le sacré caractère[6],
Qui lave nos forfaits dans une eau salutaire,
Et qui, purgeant notre âme et dessillant nos yeux,

---

1. *Remise* : délai.
2. *Efficace* : efficacité.
3. *Longueurs* : retards.
4. *Cette sainte ... bien* : la grâce divine.
5. *L'effet* : sa concrétisation (ici, devenir chrétien en recevant le baptême).
6. *Le sacré caractère* : la caractéristique sacrée.

Nous rend le premier droit que nous avions aux cieux[1],
Bien que je le préfère aux grandeurs d'un empire,
50 Comme le bien suprême et le seul où j'aspire,
Je crois, pour satisfaire un juste et saint amour,
Pouvoir un peu remettre et différer d'un jour.

NÉARQUE

Ainsi du genre humain l'ennemi[2] vous abuse[3] :
Ce qu'il ne peut de force, il l'entreprend de ruse.
55 Jaloux des bons desseins qu'il tâche d'ébranler,
Quand il ne les peut rompre, il pousse à reculer ;
D'obstacle sur obstacle, il va troubler le vôtre,
Aujourd'hui par des pleurs, chaque jour par quelque autre ;
Et ce songe rempli de noires visions
60 N'est que le coup d'essai de ses illusions[4] :
Il met tout en usage, et prière et menace ;
Il attaque toujours et jamais ne se lasse ;
Il croit pouvoir enfin ce qu'encore il n'a pu,
Et que ce qu'on diffère est à demi rompu.
65 Rompez se premiers coups : laissez pleurer Pauline.
Dieu ne veut point d'un cœur où le monde domine,
Qui regarde en arrière et, douteux en son choix,
Lorsque sa voix l'appelle, écoute une autre voix.

POLYEUCTE

Pour se donner à lui faut-il n'aimer personne ?

NÉARQUE

70 Nous pouvons tout aimer : il le souffre, il l'ordonne ;
Mais à vous dire tout, ce seigneur des seigneurs
Veut le premier amour et les premiers honneurs.
Comme rien n'est égal à sa grandeur suprême,
Il ne faut rien aimer qu'après lui, qu'en lui-même,

---

1. *Mais pour ... aux cieux* : périphrase (voir p. 188) pour décrire le baptême.
2. *L'ennemi* : le diable, désigné par le pronom « il » dans les vers suivants.
3. *Abuse* : trompe.
4. *Illusions* : tromperies.

75 Négliger, pour lui plaire, et femme, et biens, et rang,
   Exposer pour sa gloire, et verser tout son sang.
   Mais que vous êtes loin de cette ardeur parfaite,
   Qui vous est nécessaire, et que je vous souhaite!
   Je ne puis vous parler que les larmes aux yeux.
80 Polyeucte, aujourd'hui qu'on nous hait en tous lieux,
   Qu'on croit servir l'État quand on nous persécute,
   Qu'aux plus âpres tourments un chrétien est en butte,
   Comment en pourrez-vous surmonter les douleurs,
   Si vous ne pouvez pas résister à des pleurs?

POLYEUCTE

85 Vous ne m'étonnez[1] point : la pitié qui me blesse
   Sied bien aux plus grands cœurs et n'a point de faiblesse.
   Sur mes pareils, Néarque, un bel œil est bien fort[2] :
   Tel craint de le fâcher qui ne craint pas la mort;
   Et s'il faut affronter les plus cruels supplices,
90 Y trouver des appas, en faire mes délices,
   Votre Dieu, que je n'ose encor[3] nommer le mien,
   M'en donnera la force en me faisant chrétien.

NÉARQUE

Hâtez-vous donc de l'être.

POLYEUCTE

                          Oui, j'y cours, cher Néarque;
   Je brûle d'en porter la glorieuse marque.
95 Mais Pauline s'afflige et ne peut consentir,
   Tant ce songe la trouble, à me laisser sortir.

NÉARQUE

Votre retour pour elle en aura plus de charmes;
Dans une heure au plus tard vous essuierez ses larmes;
Et l'heur de vous revoir lui semblera plus doux,

---

1. *Étonnez :* bouleversez.
2. *Un bel œil est bien fort :* un beau visage de femme exerce un puissant charme (métonymie, voir p. 188).
3. *Encor :* encore (la suppression du « e » final permet ici de « gagner » une syllabe pour avoir un vers de 12 pieds).

100 Plus elle aura pleuré pour un si cher époux.
Allons, on nous attend.

POLYEUCTE

Apaisez donc sa crainte
Et calmez la douleur dont son âme est atteinte.
Elle revient.

NÉARQUE

Fuyez.

POLYEUCTE

Je ne puis.

NÉARQUE

Il le faut.
Fuyez un ennemi qui sait votre défaut[1],
105 Qui le trouve aisément, qui blesse par la vue,
Et dont le coup mortel vous plaît quand il vous tue.

SCÈNE 2.   POLYEUCTE, NÉARQUE, PAULINE, STRATONICE.

POLYEUCTE

Fuyons, puisqu'il le faut. Adieu, Pauline, adieu :
Dans une heure au plus tard je reviens en ce lieu.

PAULINE

Quel sujet si pressant à sortir vous convie?
110 Y va-t-il de l'honneur? y va-t-il de la vie?

POLYEUCTE

Il y va de bien plus.

PAULINE

Quel est donc ce secret?

---

1. *Qui sait votre défaut* : qui connaît votre point faible (terme d'escrime).

POLYEUCTE

Vous le saurez un jour : je vous quitte à regret.
Mais enfin il le faut.

PAULINE

Vous m'aimez?

POLYEUCTE

                  Je vous aime,
Le ciel m'en soit témoin, cent fois plus que moi-même;
115 Mais...

PAULINE

      Mais mon déplaisir ne vous peut émouvoir!
Vous avez des secrets que je ne puis savoir!
Quelle preuve d'amour! Au nom de l'hyménée
Donnez à mes soupirs cette seule journée.

POLYEUCTE

Un songe vous fait peur!

PAULINE

            Ses présages sont vains,
120 Je le sais; mais enfin je vous aime, et je crains.

POLYEUCTE

Ne craignez rien de mal pour une heure d'absence.
Adieu : vos pleurs sur moi prennent trop de puissance;
Je sens déjà mon cœur prêt à se révolter.
Et ce n'est qu'en fuyant que j'y puis résister.

38

Acte I Scènes 1 et 2

EXPOSITION

1. La première scène transporte le lecteur au sein d'une vive discussion entre Polyeucte et Néarque. Quels sont les mouvements de cette scène ? Le rythme de la discussion se modifie : pourquoi les répliques des deux protagonistes sont-elles de plus en plus brèves ? Que peut-on en déduire sur les personnages ?

POINTS DE VUE

2. Quels sont les arguments majeurs de Néarque pour pousser Polyeucte à se faire baptiser sans attendre ? Quelle sorte de raisons lui oppose Polyeucte ? Le débat entre eux se place-t-il au même niveau, ou leur langage traduit-il une différence ?

3. Relevez les préoccupations respectives des deux personnages.

LA FEMME COMME ENNEMI

4. Dès le premier vers, Néarque désigne « une femme » comme responsable des hésitations de Polyeucte. Examinez l'attitude de Néarque envers Pauline, en particulier la manière dont il traite le songe de Pauline au début de la scène (v. 1 à 4) puis à partir du vers 53.

5. Comment Polyeucte réagit-il à ce que nous appellerions aujourd'hui la misogynie de Néarque ? Relevez l'emploi du verbe fuir. Que signifie la répétition de ce mot par Néarque (v. 103 et 104) et par Polyeucte (v. 107 et 124) ?

SCÈNE 3.   PAULINE, STRATONICE.

PAULINE

125 Va, néglige mes pleurs, cours et te précipite
Au-devant de la mort que les dieux m'ont prédite.
Suis cet agent fatal de tes mauvais destins[1],
Qui peut-être te livre aux mains des assassins.
Tu vois, ma Stratonice, en quel siècle nous sommes :
130 Voilà notre pouvoir sur les esprits des hommes;
Voilà ce qui nous reste, et l'ordinaire effet
De l'amour qu'on nous offre et des vœux qu'on nous fait.
Tant qu'ils ne sont qu'amants, nous sommes souveraines,
Et jusqu'à la conquête ils nous traitent de reines;
135 Mais après l'hyménée ils sont rois à leur tour.

STRATONICE

Polyeucte pour vous ne manque point d'amour;
S'il ne vous traite ici d'entière confidence[2],
S'il part malgré vos pleurs, c'est un trait de prudence;
Sans vous en affliger, présumez avec moi
140 Qu'il est plus à propos qu'il vous cèle[3] pourquoi;
Assurez-vous sur lui qu'il en a juste cause[4].
Il est bon qu'un mari nous cache quelque chose,
Qu'il soit quelquefois libre et ne s'abaisse pas
À nous rendre toujours compte de tous ses pas.
145 On n'a tous deux qu'un cœur qui sent mêmes traverses[5],
Mais ce cœur a pourtant ses fonctions diverses,
Et la loi de l'hymen qui vous tient assemblés
N'ordonne pas qu'il tremble alors que vous tremblez.
Ce qui fait vos frayeurs ne peut le mettre en peine :

---

1. *Cet agent ... destins* : cette périphrase (voir p.188) fait référence à Néarque.
2. *S'il ne ... confidence* : s'il vous cache quelque chose.
3. *Cèle* : cache.
4. *Assurez-vous ... cause* : soyez sûre que cela est justifié.
5. *Qui sent mêmes traverses* : qui traverse les mêmes épreuves.

150 Il est Arménien et vous êtes Romaine,
Et vous pouvez savoir que vos deux nations
N'ont pas sur ce sujet mêmes impressions :
Un songe en notre esprit[1] passe pour ridicule,
Il ne nous laisse espoir, ni crainte, ni scrupule;
155 Mais il passe dans Rome avec autorité
Pour fidèle miroir de la fatalité[2].

PAULINE

Quelque peu de crédit que chez vous il obtienne,
Je crois que ta frayeur égalerait la mienne
Si de telles horreurs t'avaient frappé l'esprit,
160 Si je t'en avais fait seulement le récit.

STRATONICE

À raconter ses maux souvent on les soulage.

PAULINE

Écoute; mais il faut te dire davantage,
Et que, pour mieux comprendre un si triste discours,
Tu saches ma faiblesse et mes autres amours :
165 Une femme d'honneur peut avouer sans honte
Ces surprises des sens que la raison surmonte;
Ce n'est qu'en ces assauts qu'éclate la vertu,
Et l'on doute d'un cœur qui n'a point combattu.
Dans Rome, où je naquis, ce[3] malheureux visage
170 D'un chevalier romain captiva le courage.
Il s'appelait Sévère : excuse les soupirs
Qu'arrache encore un nom trop cher à mes désirs.

STRATONICE

Est-ce lui qui naguère[4] aux dépens de sa vie
Sauva des ennemis votre empereur Décie[5],

---

1. *En notre esprit* : pour nous, Arméniens.
2. *Fatalité* : destin.
3. *Ce* : mon.
4. *Naguère* : il y a peu de temps.
5. *Décie* : Decius, empereur romain de 248 à 251 après J.-C.

41

175 Qui leur tira mourant la victoire des mains
Et fit tourner le sort des Perses aux Romains[1]?
Lui qu'entre tant de morts immolés à son maître,
On ne put rencontrer[2], ou du moins reconnaître;
À qui Décie enfin, pour des exploits si beaux,
180 Fit si pompeusement dresser de vains tombeaux[3]?

PAULINE

Hélas! c'était lui-même et jamais notre Rome
N'a produit plus grand cœur, ni vu plus honnête homme[4].
Puisque tu le connais, je ne t'en dirai rien.
Je l'aimai, Stratonice : il le méritait bien;
185 Mais que sert le mérite où manque la fortune?
L'un était grand en lui, l'autre faible et commune :
Trop invincible obstacle, et dont trop rarement
Triomphe auprès d'un père un vertueux amant!

STRATONICE

La digne occasion d'une rare constance!

PAULINE

190 Dis plutôt d'une indigne et folle résistance.
Quelque fruit qu'une fille en puisse recueillir,
Ce n'est une vertu que pour qui veut faillir.
Parmi[5] ce grand amour que j'avais pour Sévère,
J'attendais un époux de la main de mon père,
195 Toujours prête à le prendre; et jamais ma raison
N'avoua de mes yeux l'aimable trahison.
Il possédait mon cœur, mes désirs, ma pensée;
Je ne lui cachais point combien j'étais blessée :
Nous soupirions ensemble et pleurions nos malheurs;

---

1. *Et fit ... Romains* : et fit passer la victoire du camp des Perses dans celui des Romains.
2. *Rencontrer* : retrouver.
3. *Fit ... tombeaux* : fit solennellement construire des tombeaux vides à la mémoire de Sévère.
4. *Honnête homme* : homme d'honneur.
5. *Parmi* : tout en éprouvant.

200 Mais, au lieu d'espérance, il n'avait que des pleurs ;
Et malgré des soupirs si doux, si favorables,
Mon père et mon devoir étaient inexorables.
Enfin je quittai Rome et ce parfait amant
Pour suivre ici mon père en son gouvernement[1] ;
205 Et lui, désespéré, s'en alla dans l'armée
Chercher d'un beau trépas l'illustre renommée.
Le reste, tu le sais : mon abord[2] en ces lieux
Me fit voir Polyeucte, et je plus à ses yeux ;
Et comme il est ici le chef de la noblesse,
210 Mon père fut ravi qu'il me prit pour maîtresse[3],

Stratonice et Pauline (Fanny Ardant).
Mise en scène de Dominique Leverd.
Notre-Dame des Blancs-Manteaux, 1975.

---

1. *Gouvernement* : poste de gouverneur.
2. *Abord* : arrivée.
3. *Maîtresse* : fiancée.

Et par son alliance il se crut assuré
D'être plus redoutable et plus considéré :
Il approuva sa flamme et conclut l'hyménée;
Et moi, comme à son lit je me vis destinée,
215 Je donnai par devoir à son affection
Tout ce que l'autre avait par inclination.
Si tu peux en douter, juge-le par la crainte
Dont en ce triste jour tu me vois l'âme atteinte.

STRATONICE

Elle fait assez voir à quel point vous l'aimez.
220 Mais quel songe, après tout, tient vos sens alarmés?

PAULINE

Je l'ai vu cette nuit, ce malheureux Sévère.
La vengeance à la main[1], l'œil ardent de colère :
Il n'était point couvert de ces tristes lambeaux
Qu'une ombre désolée emporte des tombeaux;
225 Il n'était point percé de ces coups pleins de gloire
Qui, retranchant sa vie, assurent sa mémoire;
Il semblait triomphant, et tel que sur son char
Victorieux dans Rome entre notre César.
Après un peu d'effroi que m'a donné sa vue :
230 « Porte à qui tu voudras la faveur qui m'est due,
Ingrate, m'a-t-il dit; et, ce jour expiré[2],
Pleure à loisir l'époux que tu m'as préféré. »
À ces mots, j'ai frémi, mon âme s'est troublée;
Ensuite des chrétiens une impie assemblée,
235 Pour avancer l'effet[3] de ce discours fatal,
A jeté Polyeucte aux pieds de son rival.
Soudain à son secours j'ai réclamé mon père;
Hélas! c'est de tout point ce qui me désespère,
J'ai vu mon père même, un poignard à la main,

---

1. *La vengeance à la main* : l'instrument de sa vengeance à la main
(« vengeance » prend ici un sens concret, voir « métonymie », p. 188).
2. *Ce jour expiré* : à la fin de ce jour.
3. *Pour avancer l'effet* : pour contribuer à la réalisation.

240 Entrer le bras levé pour lui percer le sein :
Là ma douleur trop forte a brouillé ces images;
Le sang de Polyeucte a satisfait leurs rages.
Je ne sais ni comment ni quand ils l'ont tué,
Mais je sais qu'à sa mort tous ont contribué :
245 Voilà quel est mon songe.

STRATONICE

Il est vrai qu'il est triste,
Mais il faut que votre âme à ces frayeurs résiste :
La vision, de soi, peut faire quelque horreur,
Mais non pas vous donner une juste[1] terreur.
Pouvez-vous craindre un mort? pouvez-vous craindre un père
250 Qui chérit votre époux, que votre époux révère,
Et dont le juste choix vous a donnée à lui,
Pour s'en faire en ces lieux un ferme et sûr appui?

PAULINE

Il m'en a dit autant et rit de mes alarmes;
Mais je crains des chrétiens les complots et les charmes,
255 Et que sur mon époux leur troupeau ramassé
Ne venge tant de sang que mon père a versé[2].

STRATONICE

Leur secte est insensée, impie et sacrilège,
Et dans son sacrifice use de sortilège;
Mais sa fureur ne va qu'à briser nos autels :
260 Elle n'en veut qu'aux dieux, et non pas aux mortels.
Quelque sévérité que sur eux on déploie,
Ils souffrent sans murmure et meurent avec joie;
Et depuis qu'on les traite en criminels d'État,
On ne peut les charger d'aucun assassinat.

PAULINE

265 Tais-toi, mon père vient.

---

1. *Juste* : justifiée.
2. *Tant de ... versé* : la mort des chrétiens que Félix (en tant que gouverneur aux ordres de Décie) a persécutés.

45

SCÈNE 4.   FÉLIX, ALBIN, PAULINE, STRATONICE.

FÉLIX

Ma fille, que ton songe
En d'étranges frayeurs ainsi que toi me plonge!
Que j'en crains les effets, qui semblent s'approcher!

PAULINE

Quelle subite alarme ainsi vous peut toucher?

FÉLIX

Sévère n'est point mort.

PAULINE

Quel mal nous fait sa vie?

FÉLIX

270 Il est le favori de l'empereur Décie.

PAULINE

Après l'avoir sauvé des mains des ennemis,
L'espoir d'un si haut rang lui devenait permis;
Le destin, aux grands cœurs si souvent mal propice,
Se résout quelquefois à leur faire justice.

FÉLIX

275 Il vient ici lui-même.

PAULINE

Il vient!

FÉLIX

Tu le vas voir.

PAULINE

C'en est trop; mais comment le pouvez-vous savoir?

FÉLIX

Albin l'a rencontré dans la proche campagne;
Un gros[1] de courtisans en foule l'accompagne,

---

1. *Un gros* : un groupe nombreux.

Et montre assez quel est son rang et son crédit;
280 Mais, Albin, redis-lui ce que ses gens t'ont dit.

ALBIN

Vous savez quelle fut cette grande journée,
Que sa perte pour nous rendit si fortunée[1],
Où l'empereur captif, par sa main dégagé,
Rassura son parti déjà découragé,
285 Tandis que sa vertu succomba sous le nombre;
Vous savez les honneurs qu'on fit faire à son ombre[2],
Après qu'entre les morts on ne le put trouver :
Le roi de Perse aussi[3] l'avait fait enlever.
Témoin de ses hauts faits et de son grand courage,
290 Ce monarque en voulut connaître le visage[4];
On le mit dans sa tente, où, tout percé de coups,
Tout mort qu'il paraissait, il fit mille jaloux;
Là bientôt il montra quelque signe de vie;
Ce prince généreux en eut l'âme ravie,
295 Et sa joie, en dépit de son dernier malheur,
Du bras qui le causait honora la valeur;
Il en fit prendre soin, la cure en fut secrète;
Et, comme au bout d'un mois sa santé fut parfaite,
Il offrit dignités, alliance, trésors,
300 Et pour gagner Sévère il fit cent vains efforts.
Après avoir comblé ses refus de louange,
Il envoie à Décie en proposer l'échange;
Et soudain l'empereur, transporté de plaisir,
Offre au Perse son frère et cent chefs à choisir.
305 Ainsi revint au camp le valeureux Sévère
De sa haute vertu recevoir le salaire;
La faveur de Décie en fut le digne prix.

---

1. Sévère remporta la victoire et sauva l'empereur, mais on le crut mort dans la bataille.
2. *À son ombre* : à la mémoire de Sévère, dont on ne retrouva pas la dépouille.
3. *Aussi* : en effet.
4. *En voulut connaître le visage* : voulut connaître le visage de Sévère.

De nouveau l'on combat, et nous sommes surpris[1].
Ce malheur toutefois sert à croître sa gloire :
310 Lui seul rétablit l'ordre et gagne la victoire,
Mais si belle, et si pleine, et par tant de beaux faits,
Qu'on nous offre tribut[2], et nous faisons la paix.
L'empereur, qui lui montre une amour[3] infinie,
Après ce grand succès l'envoie en Arménie;
315 Il vient en apporter la nouvelle en ces lieux,
Et par un sacrifice en rendre hommage aux dieux.

FÉLIX

Ô ciel! en quel état ma fortune est réduite!

ALBIN

Voilà ce que j'ai su d'un homme de sa suite,
Et j'ai couru, seigneur, pour vous y disposer[4].

FÉLIX

320 Ah! sans doute, ma fille, il vient pour t'épouser :
L'ordre d'un sacrifice[5] est pour lui peu de chose;
C'est un prétexte faux dont l'amour est la cause.

PAULINE

Cela pourrait bien être : il m'aimait chèrement.

FÉLIX

Que ne permettra-t-il à son ressentiment?
325 Et jusques à quel point ne porte sa vengeance
Une juste colère avec tant de puissance?
Il nous perdra, ma fille.

PAULINE

Il est trop généreux.

---

1. *Surpris* : pris par surprise.
2. *Qu'on nous offre tribut* : qu'on se soumet à nous.
3. *Une amour* : le mot « amour » est souvent au féminin dans la langue classique.
4. *Pour vous y disposer* : pour vous faire part de ces nouvelles.
5. *L'ordre d'un sacrifice* : ordonner, organiser un sacrifice.

FÉLIX

Tu veux flatter[1] en vain un père malheureux :
Il nous perdra, ma fille. Ah! regret qui me tue
330 De n'avoir pas aimé la vertu toute nue!
Ah! Pauline, en effet, tu m'as trop obéi;
Ton courage était bon, ton devoir l'a trahi.
Que ta rébellion m'eût été favorable!
Qu'elle m'eût garanti d'un état déplorable!
335 Si quelque espoir me reste, il n'est plus aujourd'hui
Qu'en l'absolu pouvoir qu'il te donnait sur lui;
Ménage en ma faveur l'amour qui le possède,
Et d'où provient mon mal fais sortir le remède.

PAULINE

Moi, moi! que je revoie un si puissant vainqueur
340 Et m'expose à des yeux qui me percent le cœur!
Mon père, je suis femme, et je sais ma faiblesse;
Je sens déjà mon cœur qui pour lui s'intéresse,
Et poussera sans doute, en dépit de ma foi[2],
Quelque soupir indigne et de vous et de moi.
345 Je ne le verrai point.

FÉLIX

Rassure[3] un peu ton âme.

PAULINE

Il est toujours aimable, et je suis toujours femme;
Dans le pouvoir sur moi que ses regards ont eu,
Je n'ose m'assurer de toute ma vertu.
Je ne le verrai point.

FÉLIX

Il faut le voir, ma fille,
350 Ou tu trahis ton père et toute ta famille.

---

1. *Flatter* : tromper.
2. *En dépit de ma foi* : malgré la fidélité que je dois (par serment) à Polyeucte.
3. *Rassure* : raffermis.

PAULINE

C'est à moi d'obéir, puisque vous commandez;
Mais voyez les périls où vous me hasardez.

FÉLIX

Ta vertu m'est connue.

PAULINE

Elle vaincra sans doute;
Ce n'est pas le succès[1] que mon âme redoute :
355 Je crains ce dur combat et ces troubles puissants
Que fait déjà chez moi la révolte des sens;
Mais puisqu'il faut combattre un ennemi que j'aime,
Souffrez que je me puisse armer contre moi-même,
Et qu'un peu de loisir me prépare à le voir.

FÉLIX

360 Jusqu'au-devant des murs je vais le recevoir;
Rappelle cependant tes forces étonnées[2],
Et songe qu'en tes mains tu tiens nos destinées.

PAULINE

Oui, je vais de nouveau dompter mes sentiments
Pour servir de victime à vos commandements.

---

1. *Succès* : l'issue (heureuse ou malheureuse).
2. *Rappelle ... étonnées* : rassemble pendant ce temps tes forces bouleversées, dispersées.

Acte I Scènes 3 et 4

EXPOSITION ET PREMIER REBONDISSEMENT

1. Définissez la fonction du songe de Pauline et celle du récit des exploits de Sévère qui le précède.

2. En quoi la scène 3 est-elle un complément à la première scène ?

3. Quelle est l'importance dramatique du retour de Sévère (sc. 4)? Cela modifie-t-il le contenu de la scène ?

Ensemble de l'acte I

UN DOUBLE CONFLIT

1. À la fin du premier acte, le lecteur/spectateur est en présence de deux conflits : quels sont-ils ? Est-il possible de dire que Corneille ne respecte pas l'unité d'action ? Dans cette perspective le songe de Pauline trouve-t-il une nouvelle fonction ? Laquelle ?

2. L'acte d'exposition a généralement tendance à être statique, pensez-vous que celui-ci le soit ? Justifiez votre réponse.

LES PERSONNAGES

3. Hormis Sévère, tous les personnages sont apparus. Dégagez les traits de caractères de chacun d'eux. Définissez la dynamique qui anime les rapports des personnages entre eux.

4. À part des considérations d'ordre psychologique, le premier acte donne-t-il des indications d'ordre politique (l'autorité), moral (le devoir) ou sociologique (la place des femmes) ? Justifiez votre réponse en donnant à chaque fois des exemples tirés du texte.

Sévère (Jean-Luc Boutté) et Fabian (Thierry Hancisse).
Mise en scène de Jorge Lavelli. Comédie-Française, 1987.

Acte II

SCÈNE PREMIÈRE. SÉVÈRE, FABIAN.

SÉVÈRE

365 Cependant que Félix donne ordre au sacrifice,
Pourrai-je prendre un temps[1] à mes vœux si propice ?
Pourrai-je voir Pauline et rendre à ses beaux yeux
L'hommage souverain que l'on va rendre aux dieux ?
Je ne t'ai point celé que c'est ce qui m'amène,
370 Le reste est un prétexte à soulager ma peine ;
Je viens sacrifier, mais c'est à ses beautés
Que je viens immoler toutes mes volontés.

FABIAN

Vous la verrez, seigneur.

SÉVÈRE

Ah ! quel comble de joie !
Cette chère beauté consent que je la voie !
375 Mais ai-je sur son âme encor quelque pouvoir ?
Quelque reste d'amour s'y fait-il encor voir ?
Quel trouble, quel transport lui cause ma venue ?
Puis-je tout espérer de cette heureuse vue ?
Car je voudrais mourir plutôt que d'abuser
380 Des lettres de faveur[2] que j'ai pour l'épouser ;
Elles sont pour Félix, non pour triompher d'elle :
Jamais à ses désirs mon cœur ne fut rebelle ;
Et si mon mauvais sort avait changé le sien[3],
Je me vaincrais moi-même et ne prétendrais rien.

---

1. *Prendre un temps :* saisir une occasion.
2. *Lettres de faveur :* lettres de recommandation écrites par l'empereur.
3. *Le sien :* son cœur.

FABIAN

385 Vous la verrez c'est tout ce que je vous puis dire.

SÉVÈRE

D'où vient que tu frémis, et que ton cœur soupire ?
Ne m'aime-t-elle plus ? Éclaircis-moi ce point.

FABIAN

M'en croirez-vous, seigneur ? ne la revoyez point;
Portez en lieu plus haut l'honneur de vos caresses :
390 Vous trouverez à Rome assez d'autres maîtresses;
Et dans ce haut degré de puissance et d'honneur,
Les plus grands y tiendront votre amour à bonheur[1].

SÉVÈRE

Qu'à des pensers[2] si bas mon âme se ravale!
Que je tienne Pauline à mon sort inégale!
395 Elle en a mieux usé, je la dois imiter;
Je n'aime mon bonheur que pour le mériter.
Voyons-la, Fabian; ton discours m'importune;
Allons mettre à ses pieds cette haute fortune :
Je l'ai dans les combats trouvée heureusement,
400 En cherchant une mort digne de son amant;
Ainsi ce rang est sien, cette faveur est sienne,
Et je n'ai rien enfin que d'elle je ne tienne.

FABIAN

Non, mais encore un coup[3] ne la revoyez point.

SÉVÈRE

Ah! c'en est trop, enfin, éclaircis-moi ce point :
405 As-tu vu des froideurs quand tu l'en as priée[4] ?

---

1. *Tiendront votre amour à bonheur* : considéreront votre amour comme une chance.
2. *Pensers* : pensées, idées (« penser » était employé au masculin jusqu'au milieu du XVIIᵉ siècle).
3. *Encore un coup* : encore une fois (l'expression n'appartenait pas alors au langage familier).
4. *Tu l'en as priée* : tu lui as demandé de me voir.

FABIAN

Je tremble à vous le dire; elle est...

SÉVÈRE

Quoi ?

FABIAN

Mariée.

SÉVÈRE

Soutiens-moi, Fabian; ce coup de foudre[1] est grand
Et frappe d'autant plus que plus il me surprend.

FABIAN

Seigneur, qu'est devenu ce généreux courage ?

SÉVÈRE

410 La constance est ici d'un difficile usage;
De pareils déplaisirs accablent un grand cœur;
La vertu la plus mâle en perd toute vigueur;
Et quand d'un feu si beau les âmes sont éprises,
La mort les trouble moins que de telles surprises.
415 Je ne suis plus à moi quand j'entends ce discours.
Pauline est mariée!

FABIAN

Oui, depuis quinze jours;
Polyeucte, un seigneur des premiers d'Arménie,
Goûte de son hymen la douceur infinie.

SÉVÈRE

Je ne la puis du moins blâmer d'un mauvais choix,
420 Polyeucte a du nom et sort du sang des rois.
Faibles soulagements d'un malheur sans remède!
Pauline, je verrai qu'un autre vous possède!
Ô ciel, qui malgré moi me renvoyez au jour[2],
Ô sort, qui redonniez l'espoir à mon amour,
425 Reprenez la faveur que vous m'avez prêtée,

---

1. *Coup de foudre :* événement soudain et désastreux.
2. *Me renvoyez au jour :* m'avez gardé en vie.

Et rendez-moi la mort que vous m'avez ôtée.
Voyons-la toutefois, et dans ce triste lieu
Achevons de mourir en lui disant adieu.
Que mon cœur, chez les morts emportant son image,
430   De son dernier soupir puisse lui faire hommage !

FABIAN

Seigneur, considérez...

SÉVÈRE

Tout est considéré.
Quel désordre[1] peut craindre un cœur désespéré ?
N'y consent-elle pas ?

FABIAN

Oui, seigneur, mais...

SÉVÈRE

N'importe.

FABIAN

Cette vive douleur en deviendra plus forte.

SÉVÈRE

435   Et ce n'est pas un mal que je veuille guérir ;
Je ne veux que la voir, soupirer et mourir.

FABIAN

Vous vous échapperez[2] sans doute en sa présence :
Un amant qui perd tout n'a plus de complaisance ;
Dans un tel entretien il suit sa passion
440   Et ne pousse qu'injure et qu'imprécation.

SÉVÈRE

Juge autrement de moi : mon respect[3] dure encore ;
Tout violent qu'il est, mon désespoir l'adore.
Quels reproches aussi peuvent m'être permis ?

---

1. *Désordre* : trouble violent.
2. *Vous vous échapperez* : vous vous emporterez.
3. *Mon respect* : le respect que j'éprouve pour elle.

De quoi puis-je accuser qui ne m'a rien promis ?
445 Elle n'est point parjure, elle n'est point légère :
Son devoir m'a trahi, mon malheur, et son père.
Mais son devoir fut juste, et son père eut raison :
J'impute à mon malheur toute la trahison;
Un peu moins de fortune, et plus tôt arrivée,
450 Eût gagné l'un par l'autre et me l'eût conservée;
Trop heureux, mais trop tard, je n'ai pu l'acquérir :
Laisse-la-moi donc voir, soupirer et mourir.

FABIAN

Oui, je vais l'assurer qu'en ce malheur extrême
Vous êtes assez fort pour vous vaincre vous-même.
455 Elle a craint comme moi ces premiers mouvements
Qu'une perte imprévue arrache aux vrais amants,
Et dont la violence excite assez de trouble,
Sans que l'objet présent l'irrite et le redouble[1].

SÉVÈRE

Fabian, je la vois.

FABIAN

Seigneur, souvenez-vous...

SÉVÈRE

460 Hélas! elle aime un autre, un autre est son époux.

SCÈNE 2.   SÉVÈRE, PAULINE, STRATONICE, FABIAN.

PAULINE

Oui, je l'aime, seigneur, et n'en fais point d'excuse;
Que tout autre que moi vous flatte et vous abuse,
Pauline a l'âme noble et parle à cœur ouvert.

---

1. *Le redouble :* redouble ce trouble.

Le bruit de votre mort n'est point ce qui vous perd;
465 Si le ciel en mon choix eût mis mon hyménée
À vos seules vertus je me serais donnée,
Et toute la rigueur de votre premier sort
Contre votre mérite eût fait un vain effort.
Je découvrais en vous d'assez illustres marques
470 Pour vous préférer même aux plus heureux monarques;
Mais puisque mon devoir m'imposait d'autres lois,
De quelque amant pour moi que mon père eût fait choix,
Quand à ce grand pouvoir que la valeur vous donne
Vous auriez ajouté l'éclat d'une couronne,
475 Quand je vous aurais vu, quand je l'aurais haï,
J'en aurais soupiré, mais j'aurais obéi,
Et sur mes passions ma raison souveraine
Eût blâmé mes soupirs et dissipé ma haine.

SÉVÈRE

Que vous êtes heureuse, et qu'un peu de soupirs
480 Fait un aisé remède à tous vos déplaisirs!
Ainsi de vos désirs toujours reine absolue,
Les plus grands changements vous trouvent résolue;
De la plus forte ardeur vous portez vos esprits
Jusqu'à l'indifférence et peut-être au mépris;
485 Et votre fermeté fait succéder sans peine
La faveur au dédain, et l'amour à la haine.
Qu'un peu de votre humeur ou de votre vertu
Soulagerait les maux de ce cœur abattu!
Un soupir, une larme à regret épandue[1]
490 M'aurait déjà guéri de vous avoir perdue;
Ma raison pourrait tout sur l'amour affaibli
Et de l'indifférence irait jusqu'à l'oubli;
Et mon feu désormais se réglant sur le vôtre,
Je me tiendrais heureux entre les bras d'une autre.

---

1. *Épandue* : répandue.

Sévère (Jean-Luc Boutté) et Pauline (Claude Mathieu).
Mise en scène de Jorge Lavelli. Comédie-Française, 1987.

495 Ô trop aimable objet[1], qui m'avez trop charmé,
Est-ce là comme on aime, et m'avez-vous aimé ?

PAULINE

Je vous l'ai trop fait voir, seigneur; et si mon âme
Pouvait bien étouffer les restes de sa flamme,
Dieux, que j'éviterais de rigoureux tourments!
500 Ma raison, il est vrai, dompte mes sentiments;
Mais quelque autorité que sur eux elle ait prise,
Elle n'y règne pas, elle les tyrannise;
Et quoique le dehors soit sans émotion,
Le dedans n'est que trouble et que sédition.
505 Un je ne sais quel charme encor vers vous m'emporte;
Votre mérite est grand, si ma raison est forte :
Je le vois, encor tel qu'il alluma mes feux,
D'autant plus puissamment solliciter mes vœux
Qu'il est environné de puissance et de gloire,
510 Qu'en tous lieux après vous il traîne la victoire[2],
Que j'en sais mieux le prix, et qu'il n'a point déçu
Le généreux espoir que j'en avais conçu.
Mais ce même devoir qui le vainquit dans Rome,
Et qui me range ici dessous les lois d'un homme,
515 Repousse encor si bien l'effort de tant d'appas
Qu'il déchire mon âme et ne l'ébranle pas.
C'est cette vertu même, à nos désirs cruelle,
Que vous louiez alors en blasphémant contre elle :
Plaignez-vous-en encor; mais louez sa rigueur,
520 Qui triomphe à la fois de vous et de mon cœur;
Et voyez qu'un devoir moins ferme et moins sincère
N'aurait pas mérité l'amour du grand Sévère.

SÉVÈRE

Ah! madame, excusez une aveugle douleur,
Qui ne connaît plus rien que l'excès du malheur :

---

1. *Objet* : personne aimée (langage galant).
2. *Il traîne la victoire* : votre mérite entraîne la victoire.

525 Je nommais inconstance et prenais pour un crime
De ce juste devoir l'effort le plus sublime.
De grâce, montrez moins à mes sens désolés
La grandeur de ma perte et ce que vous valez;
Et, cachant par pitié cette vertu, si rare,
530 Qui redouble mes feux lorsqu'elle nous sépare,
Faites voir des défauts qui puissent à leur tour
Affaiblir ma douleur avecque[1] mon amour.

PAULINE

Hélas! cette vertu quoique enfin invincible
Ne laisse que trop voir une âme trop sensible.
535 Ces pleurs en sont témoins, et ces lâches soupirs
Qu'arrachent de nos feux les cruels souvenirs :
Trop rigoureux effets d'une aimable présence
Contre qui mon devoir a trop peu de défense!
Mais si vous estimez ce vertueux devoir,
540 Conservez-m'en la gloire, et cessez de me voir;
Épargnez-moi des pleurs qui coulent à ma honte :
Épargnez-moi des feux qu'à regret je surmonte;
Enfin épargnez-moi ces tristes entretiens,
Qui ne font qu'irriter[2] vos tourments et les miens.

SÉVÈRE

545 Que je me prive ainsi du seul bien qui me reste!

PAULINE

Sauvez-vous d'une vue à tous les deux funeste.

SÉVÈRE

Quel prix de mon amour! quel fruit de mes travaux[3]!

PAULINE

C'est le remède seul qui peut guérir nos maux.

---

1. *Avecque* : avec (« avecque » compte trois syllabes, ce qui permet au vers d'avoir douze pieds).
2. *Irriter* : exacerber.
3. *Travaux* : épreuves, peines.

SÉVÈRE

Je veux mourir des miens : aimez-en la mémoire.

PAULINE

550 Je veux guérir des miens : ils souilleraient ma gloire.

SÉVÈRE

Ah ! puisque votre gloire en prononce l'arrêt,
Il faut que ma douleur cède à son intérêt.
Est-il rien que sur moi cette gloire n'obtienne ?
Elle me rend les soins[1] que je dois à la mienne.
555 Adieu : je vais chercher au milieu des combats
Cette immortalité que donne un beau trépas
Et remplir dignement, par une mort pompeuse,
De mes premiers exploits l'attente avantageuse[2],
Si toutefois, après ce coup mortel du sort,
560 J'ai de la vie assez pour chercher une mort.

PAULINE

Et moi, dont votre vue augmente le supplice,
Je l'éviterai même en votre sacrifice[3] ;
Et seule dans ma chambre, enfermant mes regrets,
Je vais pour vous aux dieux faire des vœux secrets.

SÉVÈRE

565 Puisse le juste ciel, content de ma ruine,
Combler d'heur et de jours Polyeucte et Pauline !

PAULINE

Puisse trouver Sévère, après tant de malheur,
Une félicité digne de sa valeur !

---

1. *Elle me rend les soins :* elle réveille en moi l'attention.
2. *Et remplir dignement ... l'attente avantageuse :* et mériter, par une mort glorieuse, l'image avantageuse que mes premiers exploits avaient donnée de moi.
3. *En votre sacrifice :* en ne me rendant pas au sacrifice que vous allez célébrer.

SÉVÈRE

Il la trouvait en vous.

PAULINE

Je dépendais d'un père.

SÉVÈRE

570 Ô devoir qui me perd et qui me désespère!
Adieu, trop vertueux objet et trop charmant.

PAULINE

Adieu, trop malheureux et trop parfait amant.

Acte II Scènes 1 et 2

SÉVÈRE

1. De Sévère, Pauline disait qu'il était « parfait amant ». En quoi cela apparaît-il dans la scène 1 ? Commentez le langage de Sévère, notamment lorsqu'il évoque Pauline. Par comparaison, que peut-on penser de Polyeucte à la scène 1 de l'acte I ?

2. Examinez les réactions de Sévère à l'annonce du mariage de Pauline. Est-il généreux malgré sa peine ? Citez le texte à l'appui de votre réponse. Analysez les vers 441 à 452 et dégagez les qualités de Sévère qui y sont révélées.

LA DIFFICILE MAÎTRISE DE PAULINE

3. Pauline fait-elle face aisément à son devoir ? Analysez en particulier le langage de la raison et du devoir : montrez par exemple la rigueur de la composition de sa première tirade (v. 461 à 478). C'est cependant un véritable combat qu'elle se livre à elle-même et que traduit le martèlement des vers dans cette tirade : relevez les procédés qui y concourent (anaphores, allitérations, assonances de voyelles ouvertes ; voir le Petit dictionnaire, p. 187).

4. Commentez l'agressivité de Pauline au vers 461 puis son aveu à partir du vers 497 et, particulièrement, les vers 500 à 505. La fuite que propose Pauline au vers 546 est-elle une attitude héroïque ? Justifiez votre réponse.

LE TÊTE-À-TÊTE

5. Comment Corneille parvient-il à montrer le trouble réciproque provoqué par cette entrevue ? Que signifie l'emploi de stichomythies (voir p. 188) à partir du vers 545 ?

6. Des deux personnages, qui prend sans cesse les devants ? Expliquez pourquoi. Montrez, en vous appuyant sur des exemples précis, que c'est l'exemple de la force morale de Pauline qui parvient à convaincre Sévère.

SCÈNE 3.   PAULINE, STRATONICE.

STRATONICE

Je vous ai plaints tous deux, j'en verse encor des larmes ;
Mais du moins votre esprit est hors de ses alarmes :
575 Vous voyez clairement que votre songe est vain :
Sévère ne vient pas la vengeance à la main.

PAULINE

Laisse-moi respirer du moins, si tu m'as plainte ;
Au fort de ma douleur tu rappelles ma crainte ;
Souffre un peu de relâche¹ à mes esprits troublés,
580 Et ne m'accable point par des maux redoublés.

STRATONICE

Quoi ? vous craignez encor ?

PAULINE

Je tremble, Stratonice ;
Et, bien que je m'effraye avec peu de justice,
Cette injuste² frayeur sans cesse reproduit
L'image des malheurs que j'ai vus cette nuit.

STRATONICE

585 Sévère est généreux.

PAULINE

Malgré sa retenue.
Polyeucte sanglant frappe toujours ma vue.

STRATONICE

Vous voyez ce rival faire des vœux pour lui.

PAULINE

Je crois même au besoin qu'il serait son appui :
Mais soit cette croyance³ ou fausse ou véritable,

---

1. *Souffre un peu de relâche :* accorde un peu de répit.
2. *Injuste :* injustifiée.
3. *Mais soit cette croyance :* mais que cette croyance soit.

590 Son séjour en ce lieu m'est toujours redoutable;
À quoi que sa vertu puisse le disposer,
Il est puissant, il m'aime, et vient pour m'épouser.

SCÈNE 4.   POLYEUCTE, NÉARQUE, PAULINE, STRATONICE.

PAULINE... POLYEUCTE

C'est trop verser de pleurs : il est temps qu'ils tarissent,
Que votre douleur cesse, et vos craintes finissent,
595 Malgré les faux avis par vos dieux envoyés,
Je suis vivant, madame, et vous me revoyez.

PAULINE

Le jour est encor long, et, ce qui plus m'effraie,
La moitié de l'avis se trouve déjà vraie :
J'ai cru Sévère mort, et je le vois ici.

POLYEUCTE

600 Je le sais; mais enfin j'en prends peu de souci.
Je suis dans Mélitène, et quel que soit Sévère,
Votre père y commande, et l'on m'y considère;
Et je ne pense pas qu'on puisse avec raison
D'un cœur tel que le sien craindre une trahison.
605 On m'avait assuré qu'il vous faisait visite,
Et je venais lui rendre un honneur qu'il mérite.

PAULINE

Il vient de me quitter assez[1] triste et confus;
Mais j'ai gagné sur lui qu'il ne me verra plus.

POLYEUCTE

Quoi! vous me soupçonnez déjà de quelque ombrage[2] ?

---

1. *Assez* : très.
2. *Ombrage* : jalousie.

PAULINE

610 Je ferais à tous trois un trop sensible outrage.
J'assure mon repos, que troublent ses regards.
La vertu la plus ferme évite les hasards :
Qui s'expose au péril veut bien trouver sa perte,
Et, pour vous en parler avec une âme ouverte,
615 Depuis qu'un vrai mérite a pu nous enflammer,
Sa présence toujours a droit de nous charmer.
Outre qu'on doit rougir de s'en laisser surprendre[1],
On souffre à résister, on souffre à s'en défendre ;
Et bien que la vertu triomphe de ces feux,
620 La victoire est pénible, et le combat honteux.

POLYEUCTE

Ô vertu trop parfaite, et devoir trop sincère,
Que vous devez coûter de regrets à Sévère !
Qu'aux dépens d'un beau feu vous me rendez heureux,
Et que vous êtes doux à mon cœur amoureux !
625 Plus je vois mes défauts et plus je vous contemple,
Plus j'admire...

SCÈNE 5. POLYEUCTE, PAULINE, NÉARQUE, STRATONICE, CLÉON.

CLÉON

Seigneur, Félix vous mande au temple :
La victime est choisie, et le peuple à genoux,
Et pour sacrifier on n'attend plus que vous.

POLYEUCTE

Va, nous allons te suivre. Y venez-vous, madame ?

PAULINE

630 Sévère craint ma vue, elle irrite sa flamme :
Je lui tiendrai parole, et ne veux plus le voir.

---

1. *S'en laisser surprendre* : se laisser surprendre par le mérite.

Adieu : vous l'y verrez ; pensez à son pouvoir,
Et ressouvenez-vous que sa valeur est grande.

POLYEUCTE

Allez, tout son crédit n'a rien que j'appréhende ;
635 Et comme je connais sa générosité,
Nous ne nous combattrons que de civilité.

Acte II Scènes 3 à 5

DE SOMBRES PRÉMONITIONS

1. Stratonice utilise au vers 576 une expression que Pauline avait déjà employée dans la scène 3 de l'acte I en lui racontant son rêve : quelle est cette expression ? Dans quel but Stratonice la reprend-elle ?

2. Relevez dans les scènes 3 et 4 les vers qui indiquent que l'entrevue avec Sévère n'a pas apaisé Pauline.

3. Commentez le vers 597 et expliquez quelle est sa fonction.

4. En quoi la peur de Pauline est-elle justifiée ? Commentez les vers 598 et 599.

LA SINCÉRITÉ DE PAULINE

5. Analysez les vers 610 à 620. Dans son aveu à Polyeucte, Pauline donne-t-elle l'impression qu'elle a triomphé facilement de son inclinaison pour Sévère ? Justifiez votre réponse. Les vers 632 et 633 qu'elle prononce dans la scène 5 confirment-ils votre réponse ?

LA SÉRÉNITÉ DE POLYEUCTE

6. Peut-on dire que Polyeucte tient un discours rationnel dans les vers 601 à 604 ? Expliquez sa position. D'où provient le calme dont il fait preuve (scène 4 : v. 600 à 606, v. 621 à 626 ; scène 5 : v. 634 à 636) ? Quel est l'élément, inconnu de Pauline, qui lui donne de la force ? Sa réaction à la décision de Pauline est-elle inattendue ? Peut-on la rapprocher de celle de Sévère à la scène 2 ? Pourquoi la dernière réplique de Polyeucte s'achève-t-elle si abruptement ? Cela s'explique-t-il d'un point de vue dramatique ?

Polyeucte brisant les idoles du temple.
Frontispice de l'édition de 1643.
Bibliothèque nationale, Paris.

SCÈNE 6. POLYEUCTE, NÉARQUE.

NÉARQUE

Où pensez-vous aller ?

POLYEUCTE

Au temple, où l'on m'appelle.

NÉARQUE

Quoi ? vous mêler aux vœux d'une troupe infidèle[1] !
Oubliez-vous déjà que vous êtes chrétien ?

POLYEUCTE

640 Vous, par qui je le suis, vous en souvient-il bien ?

NÉARQUE

J'abhorre les faux dieux.

POLYEUCTE

Et moi, je les déteste[2].

NÉARQUE

Je tiens leur culte impie.

POLYEUCTE

Et je le tiens funeste.

NÉARQUE

Fuyez donc leurs autels.

POLYEUCTE

Je les veux renverser.
Et mourir dans leur temple, ou les y terrasser.
645 Allons, mon cher Néarque, allons aux yeux des hommes
Braver l'idolâtrie et montrer qui nous sommes.
C'est l'attente du ciel, il nous la faut remplir;
Je viens de le promettre, et je vais l'accomplir.

---

1. *Une troupe infidèle* : une troupe de païens.
2. *Déteste* : maudis.

Je rends grâces au Dieu que tu m'as fait connaître
650 De cette occasion qu'il a sitôt fait naître.
Où déjà sa bonté, prête à me couronner,
Daigne éprouver la foi qu'il vient de me donner.

NÉARQUE

Ce zèle est trop ardent, souffrez qu'il se modère.

POLYEUCTE

On n'en peut avoir trop pour le Dieu qu'on révère.

NÉARQUE

655 Vous trouverez la mort.

POLYEUCTE

Je la cherche pour lui.

NÉARQUE

Et si ce cœur s'ébranle ?

POLYEUCTE

Il[1] sera mon appui.

NÉARQUE

Il ne commande point que l'on s'y précipite[2].

POLYEUCTE

Plus elle est volontaire et plus elle mérite.

NÉARQUE

Il suffit, sans chercher, d'attendre et de souffrir.

POLYEUCTE

660 On souffre avec regret quand on n'ose s'offrir.

NÉARQUE

Mais dans ce temple enfin la mort est assurée.

POLYEUCTE

Mais dans le ciel déjà la palme[3] est préparée.

---

1. *Il* : Dieu.
2. *S'y précipite* : se précipite dans la mort.
3. *La palme* : la récompense.

NÉARQUE

Par une sainte vie il faut la mériter.

POLYEUCTE

Mes crimes, en vivant[1], me la pourraient ôter.
665 Pourquoi mettre au hasard ce que la mort assure ?
Quand elle ouvre le ciel, peut-elle sembler dure ?
Je suis chrétien, Néarque, et le suis tout à fait;
La foi que j'ai reçue aspire à son effet.
Qui fuit croit lâchement et n'a qu'une foi morte.

NÉARQUE

670 Ménagez votre vie, à Dieu même elle importe.
Vivez pour protéger les chrétiens en ces lieux.

POLYEUCTE

L'exemple de ma mort les fortifiera mieux.

NÉARQUE

Vous voulez donc mourir ?

POLYEUCTE

Vous aimez donc à vivre ?

NÉARQUE

Je ne puis déguiser que j'ai peine à vous suivre :
675 Sous l'horreur des tourments je crains de succomber.

POLYEUCTE

Qui marche assurément n'a point peur de tomber :
Dieu fait part, au besoin, de sa force infinie.
Qui craint de le nier dans son âme le nie[2] :
Il croit le pouvoir faire et doute de sa foi.

NÉARQUE

680 Qui n'appréhende rien présume trop de soi.

POLYEUCTE

J'attends tout de sa grâce, et rien de ma faiblesse.

---

1. *Mes crimes, en vivant* : les crimes que je commettrais si je vivais.
2. *Le nie* : renie Dieu.

Mais loin de me presser, il faut que je vous presse !
D'où vient cette froideur ?

NÉARQUE

              Dieu même a craint la mort.

POLYEUCTE

Il s'est offert pourtant : suivons ce saint effort;
685 Dressons-lui des autels sur des monceaux d'idoles.
Il faut (je me souviens encor de vos paroles)
Négliger, pour lui plaire, et femme, et biens, et rang,
Exposer pour sa gloire et verser tout son sang.
Hélas ! qu'avez-vous fait de cette amour parfaite
690 Que vous me souhaitiez, et que je vous souhaite ?
S'il vous en reste encor, n'êtes-vous point jaloux
Qu'à grand'peine[1] chrétien, j'en montre plus que vous ?

NÉARQUE

Vous sortez du baptême, et ce qui vous anime,
C'est sa grâce qu'en vous n'affaiblit aucun crime;
695 Comme encor toute entière elle agit pleinement,
Et tout semble possible à son feu véhément;
Mais cette même grâce, en moi diminuée,
Et par mille péchés sans cesse exténuée[2],
Agit aux grands effets[3] avec tant de langueur
700 Que tout semble impossible à son peu de vigueur.
Cette indigne mollesse et ces lâches défenses
Sont des punitions qu'attirent mes offenses;
Mais Dieu, dont on ne doit jamais se défier,
Me donne votre exemple à me fortifier !
705 Allons, cher Polyeucte, allons aux yeux des hommes
Braver l'idolâtrie et montrer qui nous sommes
Puissé-je vous donner l'exemple de souffrir.
Comme vous me donnez celui de vous offrir !

---

1. *Qu'à grand'peine* : qu'à peine.
2. *Exténuée* : affaiblie.
3. *Aux grands effets* : pour les grandes réalisations.

POLYEUCTE

À cet heureux transport[1] que le ciel vous envoie,
710 Je reconnais Néarque, et j'en pleure de joie.
Ne perdons plus de temps : le sacrifice est prêt :
Allons-y du vrai Dieu soutenir l'intérêt;
Allons fouler aux pieds ce foudre[2] ridicule
Dont arme un bois pourri[3] ce peuple trop crédule;
715 Allons en éclairer l'aveuglement fatal :
Allons briser ces dieux de pierre et de métal :
Abandonnons nos jours à cette ardeur céleste,
Faisons triompher Dieu : qu'il dispose du reste!

NÉARQUE

Allons faire éclater sa gloire aux yeux de tous
720 Et répondre avec zèle à ce qu'il veut de nous.

---

1. *Transport* : mouvement violent de l'âme.
2. *Ce foudre* : l'attribut de Jupiter.
3. *Un bois pourri* : la statue d'un dieu, faite de bois pourri. La mention du bois
« pourri » est sans doute symbolique.

Acte II Scène 6

RYTHME DE LA SCÈNE

1. Comment Corneille parvient-il à rendre la vivacité de l'échange entre Néarque et Polyeucte ? Les répliques de chacun des personnages ne se développent qu'à la fin de la scène ; expliquez pourquoi.

2. Cette scène n'est-elle pas le miroir inversé de la scène 1 de l'acte I ? Comparez le contenu de ces deux scènes symétriques.
Le discours de Polyeucte (v. 687 et 688) reprend textuellement deux vers de Néarque de l'acte I, scène 1 : retrouvez-les. Le contexte cependant, est différent : sur quel mot Néarque mettait-il l'accent en prononçant ces paroles dans la scène 1 de l'acte I (de quoi voulait-il convaincre Polyeucte) ? À quoi Polyeucte demande-t-il maintenant à Néarque de renoncer (v. 688) ? Comparez la place de ces deux mots-clés dans les deux vers concernés et dans l'évolution générale de l'action.

3. Comment et à quel moment Polyeucte réussit-il à convaincre Néarque ? À la fin de la scène, Néarque prouve son assentiment en reprenant presque mot pour mot deux vers que Polyeucte lui a adressés au début de la scène : lesquels ? Peut-on parler d'héroïsme ? Pourquoi ?

DEUX CONCEPTIONS DIFFÉRENTES DE LA SAINTETÉ

4. L'intransigeance de Polyeucte : comment peut-on expliquer la conviction de ce personnage ? Est-il possible de déterminer le moment où il a été touché par la grâce ? Comment expliquer la violence ou ce que Voltaire nommera le « fanatisme » de Polyeucte ?

5. Dégagez l'attitude respective de Polyeucte et de Néarque dans les vers 653 à 663. En quoi celle de Néarque est-elle plus respectueuse du point de vue adopté par l'Église à propos du martyre (un chrétien peut-il décréter qu'il sera martyr ou est-ce Dieu qui doit en décider ? Voir p. 176).

6. Commentez cette variante du vers 720 : « Allons mourir pour lui, comme il est mort pour nous. » Y a-t-il un changement de sens ?

PEUR DE MOURIR ET PEUR DE VIVRE

7. Relevez toutes les références faites à la vie et à la mort dans la scène. En quoi Néarque paraît-il plus humain que Polyeucte ? Comparez son attitude présente à celle de Polyeucte dans la scène 1 de l'acte I.

8. Montrez que la décision de mourir prise par Polyeucte est aussi fondée sur la peur de vivre. Expliquez le vers 665 et l'emploi du verbe « assurer ». Que révèle la réponse de Polyeucte au vers 673 ? Commentez notamment le choix du verbe « aimer ».

Ensemble de l'acte II

1. La scène 6 permet-elle d'imaginer le conflit qui va naître ? Récapitulez les faits et justifiez votre réponse. Le dilemme de Pauline paraît réglé : quels personnages semblent rester au cœur de la tragédie ?

2. Un changement de rythme se produit; quel événement est à l'origine de cette accélération du temps ?

3. Peut-on voir un parallèle entre l'héroïsme de Pauline et celui de Polyeucte ? Montrez comment ils parviennent tous deux à convaincre leur interlocuteur. Peut-on parler, dans chacun des cas, d'émulation ? Justifiez votre réponse à partir d'éléments tirés du texte.

Pauline (Bérengère Dautun).
Mise en scène de Michel Bernardy. Comédie-Française, 1969.

Acte III

SCÈNE PREMIÈRE. PAULINE.

Que de soucis flottants, que de confus nuages
Présentent à mes yeux d'inconstantes images !
Douce tranquillité, que je n'ose espérer,
Que ton divin rayon tarde à les éclairer !
725 Mille agitations, que mes troubles produisent,
Dans mon cœur ébranlé tour à tour se détruisent ;
Aucun espoir n'y coule où j'ose persister ;
Aucun effroi n'y règne où j'ose m'arrêter.
Mon esprit, embrassant tout ce qu'il s'imagine,
730 Voit tantôt mon bonheur, et tantôt ma ruine,
Et suit leur vaine idée avec si peu d'effet
Qu'il ne peut espérer ni craindre tout à fait.
Sévère incessamment[1] brouille ma fantaisie[2] :
J'espère en sa vertu ; je crains sa jalousie ;
735 Et je n'ose penser que d'un œil bien égal[3]
Polyeucte en ces lieux puisse voir son rival.
Comme entre deux rivaux la haine est naturelle,
L'entrevue aisément se termine en querelle :
L'un voit aux mains d'autrui ce qu'il croit mériter,
740 L'autre un désespéré qui peut trop attenter[4].
Quelque haute raison qui règle leur courage,
L'un conçoit de l'envie, et l'autre de l'ombrage ;
La honte d'un affront que chacun d'eux croit voir
Ou de nouveau reçue, ou prête à recevoir,
745 Consumant dès l'abord toute leur patience,

---

1. *Incessamment* : sans cesse.
2. *Fantaisie* : raison.
3. *Égal* : impartial.
4. *Attenter* : faire une tentative criminelle.

Forme de la colère et de la défiance ;
Et, saisissant ensemble et l'époux et l'amant,
En dépit d'eux les livre à leur ressentiment.
Mais que je me figure une étrange chimère[1],
750 Et que je traite mal Polyeucte et Sévère !
Comme si la vertu de ces fameux rivaux
Ne pouvait s'affranchir de ces communs défauts !
Leurs âmes à tous deux d'elles-mêmes maîtresses
Sont d'un ordre trop haut pour de telles bassesses.
755 Ils se verront au temple en hommes généreux ;
Mais las ! ils se verront, et c'est beaucoup pour eux.
Que sert à mon époux d'être dans Mélitène,
Si contre lui Sévère arme l'aigle romaine,
Si mon père y commande, et craint ce favori,
760 Et se repent déjà du choix de mon mari ?
Si peu[2] que j'ai d'espoir ne luit qu'avec contrainte :
En naissant il avorte et fait place à la crainte ;
Ce qui doit l'affermir sert à le dissiper.
Dieux ! faites que ma peur puisse enfin se tromper !

SCÈNE 2. PAULINE, STRATONICE.

PAULINE

765 Mais sachons-en l'issue. Eh bien ! ma Stratonice,
Comment s'est terminé ce pompeux sacrifice ?
Ces rivaux généreux au temple se sont vus ?

STRATONICE

Ah ! Pauline !

PAULINE

Mes vœux ont-ils été déçus ?

---

1. *Chimère :* idée extravagante.
2. *Si peu :* le peu.

J'en vois sur ton visage une mauvaise marque[1].
770 Se sont-ils querellés ?

STRATONICE
Polyeucte, Néarque,
Les chrétiens...

PAULINE
Parle donc : les chrétiens...

STRATONICE
Je ne puis.

PAULINE
Tu prépares mon âme à d'étranges ennuis.

STRATONICE
Vous n'en sauriez avoir une plus juste cause.

PAULINE
L'ont-ils assassiné ?

STRATONICE
Ce serait peu de chose.
775 Tout votre songe est vrai, Polyeucte n'est plus...

PAULINE
Il est mort!

STRATONICE
Non, il vit; mais ô pleurs superflus!
Ce courage si grand, cette âme si divine,
N'est plus digne du jour, ni digne de Pauline.
Ce n'est plus cet époux si charmant à vos yeux;
780 C'est l'ennemi commun de l'État et des dieux,
Un méchant, un infâme, un rebelle, un perfide,
Un traître, un scélérat, un lâche, un parricide[2],
Une peste exécrable à tous les gens de bien,
Un sacrilège impie : en un mot, un chrétien.

---

1. *Une mauvaise marque :* un signe inquiétant.
2. *Parricide :* au sens large, personne qui a commis un crime monstrueux.

PAULINE

785 Ce mot aurait suffi sans ce torrent d'injures.

STRATONICE

Ces titres aux chrétiens, sont-ce des impostures ?

PAULINE

Il est ce que tu dis, s'il embrasse leur foi;
Mais il est mon époux, et tu parles à moi.

STRATONICE

Ne considérez plus que le Dieu qu'il adore.

PAULINE

790 Je l'aimai par devoir : ce devoir dure encore.

STRATONICE

Il vous donne à présent sujet de le haïr :
Qui trahit tous nos dieux aurait pu vous trahir.

PAULINE

Je l'aimerais encor, quand il m'aurait trahie;
Et si de tant d'amour tu peux être ébahie,
795 Apprends que mon devoir ne dépend point du sien :
Qu'il y manque, s'il veut; je dois faire le mien.
Quoi ? s'il aimait ailleurs, serais-je dispensée[1]
À suivre, à son exemple, une ardeur insensée ?
Quelque chrétien qu'il soit, je n'en ai point d'horreur;
800 Je chéris sa personne, et je hais son erreur.
Mais quel ressentiment[2] en témoigne mon père ?

STRATONICE

Une secrète rage, un excès de colère,
Malgré qui toutefois un reste d'amitié
Montre pour Polyeucte encor quelque pitié.
805 Il ne veut point sur lui faire agir sa justice,
Que du traître Néarque il n'ait vu le supplice.

---

1. *Dispensée* : autorisée.
2. *Ressentiment* : réaction, favorable ou non, à un événement.

Stratonice (Tania Torrens) et Pauline (Claude Mathieu).
Mise en scène de Jorge Lavelli. Comédie-Française, 1987.

PAULINE

Quoi ? Néarque en est donc[1] ?

STRATONICE

           Néarque l'a séduit :
De leur vieille amitié c'est là l'indigne fruit.
Ce perfide tantôt, en dépit de lui-même[2],
810 L'arrachant de vos bras, le traînait au baptême.
Voilà ce grand secret et si mystérieux
Que n'en pouvait tirer votre amour curieux.

PAULINE

Tu me blâmais alors d'être trop importune.

---

1. *Néarque en est donc :* Néarque en fait donc partie (de la secte des chrétiens).
2. *En dépit de lui-même :* contre le gré de Polyeucte.

STRATONICE

Je ne prévoyais pas une telle infortune.

PAULINE

815 Avant qu'abandonner mon âme à mes douleurs,
Il me faut essayer la force de mes pleurs :
En qualité de femme ou de fille, j'espère
Qu'ils vaincront un époux ou fléchiront un père.
Que si sur l'un et l'autre ils manquent de pouvoir,
820 Je ne prendrai conseil que de mon désespoir.
Apprends-moi cependant ce qu'ils ont fait au temple.

STRATONICE

C'est une impiété qui n'eut jamais d'exemple;
Je ne puis y penser sans frémir à l'instant,
Et crains de faire un crime en vous la racontant.
825 Apprenez en deux mots leur brutale insolence.
Le prêtre avait à peine obtenu du silence,
Et devers l'orient assuré son aspect[1],
Qu'ils ont fait éclater leur manque de respect :
À chaque occasion de la cérémonie,
830 À l'envi[2] l'un et l'autre étalait[3] sa manie,
Des mystères sacrés hautement se moquait,
Et traitait de mépris[4] les dieux qu'on invoquait.
Tout le peuple en murmure, et Félix s'en offense;
Mais tous deux s'emportant à plus d'irrévérence :
835 « Quoi ? lui dit Polyeucte en élevant sa voix,
Adorez-vous les dieux ou de pierre ou de bois ? »
Ici dispensez-moi du récit des blasphèmes
Qu'ils ont vomis tous deux contre Jupiter mêmes[5].
L'adultère et l'inceste en étaient les plus doux.
840 « Oyez, dit-il ensuite, oyez, peuple, oyez tous.

---

1. *Assuré son aspect :* posé son regard.
2. *À l'envi :* en rivalisant.
3. *Étalait :* étalaient (voir note 4 p.27).
4. *De mépris :* avec mépris.
5. *Mêmes :* même (ancienne orthographe).

Le Dieu de Polyeucte et celui de Néarque
De la terre et du ciel est l'absolu monarque,
Seul être indépendant, seul maître du destin,
Seul principe éternel et souveraine fin
845 C'est ce Dieu des chrétiens qu'il faut qu'on remercie
Des victoires qu'il donne à l'empereur Décie;
Lui seul tient en sa main le succès des combats;
Il le[1] peut élever, il le peut mettre à bas.
Sa bonté, son pouvoir, sa justice est immense;
850 C'est lui seul qui punit, lui seul qui récompense.
Vous adorez en vain des monstres impuissants. »
Se jetant à ces mots sur le vin et l'encens,
Après en avoir mis le saints vases par terre,
Sans crainte de Félix, sans crainte du tonnerre,
855 D'une fureur pareille ils courent à l'autel!
Cieux! a-t-on vu jamais, a-t-on rien vu de tel ?
Du plus puissant des dieux nous voyons la statue
Par une main impie à leurs pieds abattue,
Les mystères troublés, le temple profané,
860 La fuite et les clameurs d'un peuple mutiné[2],
Qui craint d'être accablé sous le courroux céleste.
Félix... Mais le voici qui vous dira le reste.

PAULINE

Que son visage est sombre et plein d'émotion!
Qu'il montre de tristesse et d'indignation!

1. *Le* : l'empereur Décie.
2. *Mutiné* : scandalisé.

Acte III Scènes 1 et 2

LE MONOLOGUE DE PAULINE

1. Comment ce monologue est-il composé ? Pourquoi l'angoisse de Pauline s'articule-t-elle autour de la seule question de la rivalité ? Pourquoi, dans les vers 757 et 759, Pauline reprend-elle les réflexions de Polyeucte aux vers 601 et 602 ?

2. Quels sont les éléments, connus du spectateur, dont Pauline ne sait rien ? Comment cela modifie-t-il notre perception de ce monologue ?

LE RÉCIT DE L'ACTION D'ÉCLAT

3. Par respect pour l'unité de lieu, Corneille ne pouvait nous montrer la scène du temple. Quels moyens emploie-t-il pour rendre le récit très vivant ? Comment indique-t-il l'état d'agitation dans lequel Stratonice se trouve à l'ouverture de la scène ? Relevez les vers qui en témoignent.

4. D'où provient le quiproquo des vers 775-776 ? Corneille a-t-il voulu faire sourire le spectateur ? Justifiez votre réponse.

5. Stratonice fait-elle des excès de langage alors qu'elle s'adresse à sa maîtresse ? Si oui, comment peut-on les justifier ? D'Aubignac, critique contemporain de Corneille, dénonçait « l'infinité d'injures contre le christianisme » énoncées par les personnages ; comment Corneille procède-t-il pour permettre au public de l'époque, chrétien, de s'identifier à la païenne Stratonice ? Dans cette perspective, quelle peut être la fonction des paroles de Polyeucte, rapportées par Stratonice (v. 840 à 851) ?

SCÈNE 3. FÉLIX, STRATONICE, PAULINE.

FÉLIX

865 Une telle insolence avoir osé paraître !
En public ! à ma vue ! il en mourra, le traître.

PAULINE

Souffrez que votre fille embrasse vos genoux[1].

FÉLIX

Je parle de Néarque, et non de votre époux.
Quelque indigne qu'il soit de ce doux nom de gendre,
870 Mon âme lui conserve un sentiment plus tendre :
La grandeur de son crime et de mon déplaisir
N'a pas éteint l'amour qui me l'a fait choisir.

PAULINE

Je n'attendais pas moins de la bonté d'un père.

FÉLIX

Je pouvais l'immoler à ma juste colère ;
875 Car vous n'ignorez pas à quel comble d'horreur
De son audace impie a monté la fureur ;
Vous l'avez pu savoir du moins de Stratonice.

PAULINE

Je sais que de Néarque il doit voir le supplice.

FÉLIX

Du conseil[2] qu'il doit prendre il sera mieux instruit
880 Quand il verra punir celui qui l'a séduit.
Au spectacle sanglant d'un ami qu'il faut suivre,
La crainte de mourir et le désir de vivre
Ressaisissent une âme avec tant de pouvoir
Que qui voit le trépas cesse de le vouloir.
885 L'exemple touche plus que ne fait la menace.

---

1. *Embrasse vos genoux* : vous supplie à genoux.
2. *Du conseil* : de la décision.

Cette indiscrète[1] ardeur tourne bientôt en glace,
Et nous verrons bientôt son cœur inquiété[2]
Me demander pardon de tant d'impiété.

PAULINE

Vous pouvez espérer qu'il change de courage ?

FÉLIX

890 Aux dépens de Néarque il doit se rendre sage.

PAULINE

Il le doit; mais hélas! où me renvoyez-vous[3],
Et quels tristes hasards ne court point mon époux.
Si de son inconstance il faut qu'enfin j'espère
Le bien que j'espérais de la bonté d'un père ?

FÉLIX

895 Je vous en fais trop voir, Pauline, à consentir
Qu'il évite la mort par un prompt repentir.
Je devais même peine à des crimes semblables;
Et, mettant différence entre ces deux coupables,
J'ai trahi la justice à l'amour paternel,
900 Je me suis fait pour lui moi-même criminel,
Et j'attendais de vous, au milieu de vos craintes,
Plus de remercîments[4] que je n'entends de plaintes.

PAULINE

De quoi remercier qui ne me donne rien ?
Je sais quelle est l'humeur et l'esprit d'un chrétien :
905 Dans l'obstination jusqu'au bout il demeure;
Vouloir son repentir, c'est ordonner qu'il meure.

FÉLIX

Sa grâce est en sa main, c'est à lui d'y rêver[5].

---

1. *Indiscrète* : irréfléchie.
2. *Inquiété* : troublé par la peur.
3. *Où me renvoyez-vous* : que vous me donnez peu d'espoir.
4. *Remercîments* : remerciements (la suppression du « e » est une licence orthographique qui permet à Corneille de gagner une syllabe).
5. *Rêver* : penser.

PAULINE

Faites-la toute[1] entière.

FÉLIX

Il la peut achever[2].

PAULINE

Ne l'abandonnez pas aux fureurs de sa secte.

FÉLIX

910 Je l'abandonne aux lois, qu'il faut que je respecte.

PAULINE

Est-ce ainsi que d'un gendre un beau-père est l'appui ?

FÉLIX

Qu'il fasse autant pour soi comme je fais pour lui.

PAULINE

Mais il est aveuglé.

FÉLIX

Mais il se plaît à l'être :
Qui chérit son erreur ne la veut pas connaître[3].

PAULINE

915 Mon père, au nom des dieux...

FÉLIX

Ne les réclamez pas,
Ces dieux dont l'intérêt demande son trépas.

PAULINE

Ils écoutent nos vœux.

FÉLIX

Eh bien! qu'il leur en fasse.

PAULINE

Au nom de l'empereur dont vous tenez la place...

---

1. *Toute* : tout (voir note 3 p.25).
3. *Il la peut achever* : c'est à lui de l'obtenir.
4. *Connaître* : reconnaître.

FÉLIX

J'ai son pouvoir en main; mais s'il me l'a commis[1],
920 C'est pour le déployer contre ses ennemis.

PAULINE

Polyeucte l'est-il ?

FÉLIX

Tous chrétiens sont rebelles.

PAULINE

N'écoutez point pour lui ces maximes cruelles;
En épousant Pauline il s'est fait votre sang.

FÉLIX

Je regarde sa faute, et ne vois plus son rang.
925 Quand le crime d'État se mêle au sacrilège,
Le sang ni l'amitié n'ont plus de privilège.

PAULINE

Quel excès de rigueur !

FÉLIX

Moindre que son forfait.

PAULINE

Ô de mon songe affreux trop véritable effet!
Voyez-vous qu'avec lui vous perdez votre fille ?

FÉLIX

930 Les dieux et l'empereur sont plus que ma famille.

PAULINE

La perte de tous deux ne vous peut arrêter!

FÉLIX

J'ai les dieux et Décie ensemble à redouter.
Mais nous n'avons encore à craindre rien de triste :
Dans son aveuglement pensez-vous qu'il persiste ?

---

1. *Commis* : confié.

935 S'il nous semblait tantôt courir à son malheur,
C'est d'un nouveau chrétien la première chaleur[1].

PAULINE

Si vous l'aimez encor, quittez cette espérance
Que deux fois en un jour il change de croyance :
Outre que les chrétiens ont plus de dureté,
940 Vous attendez de lui trop de légèreté.
Ce n'est point une erreur avec le lait sucée[2],
Que sans l'examiner son âme ait embrassée :
Polyeucte est chrétien parce qu'il l'a voulu,
Et vous portait au temple un esprit résolu.

Félix (Michel Echteverry) et Pauline (Bérengère Dautun).
Mise en scène de Michel Bernardy. Comédie-Française, 1969.

---

1. *Chaleur* : zèle.
2. *Une erreur avec le lait sucée* : une erreur de jeunesse, passagère.

91

945 Vous devez présumer de lui comme du reste :
Le trépas n'est pour eux ni honteux ni funeste;
Ils cherchent de la gloire à mépriser nos dieux;
Aveugles pour la terre, ils aspirent aux cieux;
Et croyant que la mort leur en ouvre la porte,
950 Tourmentés, déchirés, assassinés, n'importe,
Les supplices leur sont ce qu'à nous les plaisirs,
Et les mènent au but où tendent leurs désirs :
La mort la plus infâme, ils l'appellent martyre.

FÉLIX

Eh bien donc! Polyeucte aura ce qu'il désire :
955 N'en parlons plus.

PAULINE

Mon père...

SCÈNE 4.   FÉLIX, ALBIN, PAULINE, STRATONICE.

FÉLIX
Albin, en est-ce fait ?

ALBIN
Oui, seigneur, et Néarque a payé son forfait.

FÉLIX
Et notre Polyeucte a vu trancher sa vie ?

ALBIN
Il l'a vu, mais, hélas! avec un œil d'envie.
Il brûle de le suivre, au lieu de reculer;
960 Et son cœur s'affermit, au lieu de s'ébranler.

PAULINE
Je vous le disais bien. Encore un coup, mon père,
Si jamais mon respect a pu vous satisfaire,
Si vous l'avez prisé[1], si vous l'avez chéri...

---

1. *Prisé* : apprécié, estimé.

FÉLIX

Vous aimez trop, Pauline, un indigne mari.

PAULINE

965 Je l'ai de votre main : mon amour est sans crime;
Il[1] est de votre choix la glorieuse estime[2];
Et j'ai pour l'accepter éteint le plus beau feu
Qui d'une âme bien née ait mérité l'aveu.
Au nom de cette aveugle et prompte obéissance
970 Que j'ai toujours rendue aux lois de la naissance,
Si vous avez pu tout sur moi, sur mon amour,
Que je puisse sur vous quelque chose à mon tour!
Par ce juste pouvoir à présent trop à craindre,
Par ces beaux sentiments qu'il m'a fallu contraindre,
975 Ne m'ôtez pas vos dons : ils sont chers à mes yeux,
Et m'ont assez coûté pour m'être précieux.

FÉLIX

Vous m'importunez trop : bien que j'aie un cœur tendre,
Je n'aime la pitié qu'au prix que j'en veux prendre[3];
Employez mieux l'effort de vos justes douleurs :
980 Malgré moi m'en toucher, c'est perdre et temps et pleurs;
J'en veux être le maître, et je veux bien qu'on sache
Que je la désavoue alors qu'on me l'arrache.
Préparez-vous à voir ce malheureux chrétien,
Et faites votre effort quand j'aurai fait le mien.
985 Allez : n'irritez plus un père qui vous aime,
Et tâchez d'obtenir votre époux de lui-même.
Tantôt jusqu'en ce lieu je le ferai venir :
Cependant quittez-nous, je veux l'[4]entretenir.

PAULINE

De grâce, permettez...

---

1. *Il* : mon amour.
2. *Estime* : ici, appréciation.
3. *Qu'au prix que j'en veux prendre* : que dans les limites décidées par moi.
4. *L'* : Albin (qui s'approche).

FÉLIX

Laissez-nous seuls, vous dis-je :
990 Votre douleur m'offense autant qu'elle m'afflige.
À gagner Polyeucte appliquez tous vos soins;
Vous avancerez plus en m'importunant moins.

SCÈNE 5.   FÉLIX, ALBIN.

FÉLIX

Albin, comme est-il mort ?

ALBIN

En brutal[1], en impie,
En bravant les tourments, en dédaignant la vie,
995 Sans regret, sans murmure, et sans étonnement[2],
Dans l'obstination et l'endurcissement,
Comme un chrétien, enfin, le blasphème à la bouche.

FÉLIX

Et l'autre ?

ALBIN

Je l'ai dit déjà, rien ne le touche.
Loin d'en être abattu, son cœur en est plus haut;
1000 On l'a violenté pour quitter[3] l'échafaud.
Il est dans la prison où je l'ai vu conduire;
Mais vous êtes bien loin encor de le réduire.

FÉLIX

Que je suis malheureux!

ALBIN

Tout le monde vous plaint.

---

1. *En brutal :* en sauvage.
2. *Étonnement :* épouvante.
3. *On l'a violenté pour quitter :* on a dû le forcer pour qu'il quitte.

FÉLIX

On ne sait pas les maux dont mon cœur est atteint.
1005 De pensers sur pensers mon âme est agitée,
De soucis sur soucis elle est inquiétée ;
Je sens l'amour, la haine, et la crainte, et l'espoir,
La joie et la douleur tour à tour l'émouvoir ;
J'entre en des sentiments qui ne sont pas croyables :
1010 J'en ai de violents, j'en ai de pitoyables[1].
J'en ai de généreux qui n'oseraient agir.
J'en ai même de bas, et qui me font rougir.
J'aime ce malheureux que j'ai choisi pour gendre.
Je hais l'aveugle erreur qui le vient de surprendre.
1015 Je déplore sa perte, et, le voulant sauver,
J'ai la gloire des dieux ensemble[2] à conserver :
Je redoute leur foudre et celui de Décie ;
Il y va de ma charge, il y va de ma vie :
Ainsi tantôt pour lui je m'expose au trépas,
1020 Et tantôt je le perds pour ne me perdre pas.

ALBIN

Décie excusera l'amitié d'un beau-père ;
Et d'ailleurs Polyeucte est d'un sang qu'on révère.

FÉLIX

À punir les chrétiens son ordre est rigoureux ;
Et plus l'exemple est grand, plus il est dangereux.
1025 On ne distingue point[3] quand l'offense est publique ;
Et lorsqu'on dissimule un crime domestique[4],
Par quelle autorité peut-on, par quelle loi,
Châtier en autrui ce qu'on souffre chez soi ?

ALBIN

Si vous n'osez avoir d'égard à sa personne,
1030 Écrivez à Décie afin qu'il en ordonne.

---

1. *De pitoyables :* qui tendent à la pitié.
2. *Ensemble :* en même temps.
3. *On ne distingue point :* on ne fait pas de différence.
4. *Domestique :* dans le cadre de la famille.

FÉLIX

Sévère me perdrait, si j'en usais ainsi :
Sa haine et son pouvoir font mon plus grand souci.
Si j'avais différé de punir un tel crime,
Quoiqu'il soit généreux, quoiqu'il soit magnanime,
1035   Il est homme, et sensible, et je l'ai dédaigné;
Et de tant de mépris son esprit indigné,
Que met au désespoir cet hymen de Pauline,
Du courroux de Décie obtiendrait ma ruine.
Pour venger un affront tout semble être permis,
1040   Et les occasions tentent les plus remis[1].
Peut-être, et ce soupçon n'est pas sans apparence[2],
Il rallume en son cœur déjà quelque espérance;
Et, croyant bientôt voir Polyeucte puni,
Il rappelle un amour à grand'peine banni.
1045   Juge si sa colère, en ce cas implacable,
Me ferait innocent de sauver un coupable,
Et s'il m'épargnerait, voyant par mes bontés
Une seconde fois ses desseins avortés.
Te dirai-je un penser indigne, bas et lâche ?
1050   Je l'étouffe, il renaît; il me flatte, et me fâche.
L'ambition toujours me le vient présenter,
Et tout ce que je puis, c'est de le détester.
Polyeucte est ici l'appui de ma famille;
Mais si, par son trépas, l'autre épousait ma fille,
1055   J'acquerrais bien par là de plus puissants appuis,
Qui me mettraient plus haut cent fois que je ne suis.
Mon cœur en prend par force[3] une maligne[4] joie;
Mais que plutôt le ciel à tes yeux me foudroie
Qu'à des pensers si bas je puisse consentir,
1060   Que jusque-là ma gloire ose se démentir!

---

1. *Remis* : modérés.
2. *Sans apparence* : sans vraisemblance.
3. *Par force* : malgré moi.
4. *Maligne* : mauvaise.

ALBIN

Votre cœur est trop bon, et votre âme trop haute.
Mais vous résolvez-vous à punir cette faute ?

FÉLIX

Je vais dans la prison faire tout mon effort
À vaincre cet esprit par l'effroi de la mort;
1065 Et nous verrons après ce que pourra Pauline.

ALBIN

Que ferez-vous enfin si toujours il s'obstine ?

FÉLIX

Ne me presse point tant : dans un tel déplaisir
Je ne puis que résoudre[1] et ne sais que choisir.

ALBIN

Je dois vous avertir, en serviteur fidèle;
1070 Qu'en sa faveur déjà la ville se rebelle,
Et ne peut voir passer par la rigueur des lois
Sa dernière espérance et le sang de ses rois,
Je tiens sa prison même assez mal assurée[2] :
J'ai laissé tout autour une troupe éplorée;
1075 Je crains qu'on ne la force.

FÉLIX

　　　　　　　Il faut donc l'en tirer,
Et l'amener ici pour nous en assurer[3].

ALBIN

Tirez-l'en donc vous-même, et d'un espoir de grâce
Apaisez la fureur de cette populace.

FÉLIX

Allons, et s'il persiste à demeurer chrétien,
1080 Nous en disposerons sans qu'elle en sache rien[4].

---

1. *Je ne puis que résoudre* : je ne peux me décider.
2. *Assez mal assurée* : peu sûre.
3. *Nous en assurer* : nous assurer de lui (et de sa sécurité).
4. *Nous ... rien* : nous disposerons de lui sans le dire à la « populace ».

Acte III Scènes 3 à 5

LA PROGRESSION DRAMATIQUE

1. Si l'annonce de l'éclat public de Polyeucte au temple est l'événement pivot de l'acte III, les trois scènes suivantes apportent des éléments supplémentaires à la tragédie. Quels sont-ils ? Quelles paroles d'Albin dans la scène 4 viennent confirmer le discours que Pauline tient dans les vers 937 à 953 ? En quoi cela fait-il évoluer l'action ? Montrez les étapes de cette progression dramatique dans chacune des scènes.

LA LOYAUTÉ DE PAULINE

2. Recensez, à partir du vers 889, les répliques de Pauline qui indiquent qu'elle connaît bien son mari et qui révèlent son inquiétude. Quels vers confirment qu'elle continue d'établir une différence entre Polyeucte et les chrétiens ? Après la supplication, l'invocation de raisons morales, quel argument Pauline emploie-t-elle au vers 929 ? Cela vous semble-t-il ridicule ou très « naturel » ? Reportez-vous aux vers 816 à 818 et justifiez votre réponse.

3. Dès la scène 2, Pauline a affirmé son soutien à Polyeucte. Quels sont les arguments qu'elle utilise dans la scène 3 pour le défendre ?

4. Comment interpréter le vers 931 ? Dans toute la scène 3, Pauline a-t-elle fait preuve de droiture, d'esprit logique ? Étudiez, dans les scènes 3 et 4, l'évolution de ses sentiments à l'égard de son père. Comparez-les à ceux que le songe avait provoqués chez elle (v. 237 à 244).

FÉLIX À DÉCOUVERT

5. Rapprochez l'entrée en scène de Félix dans la scène 3 à celle qu'il a faite dans la scène 4 de l'acte I. Quels sont les composantes du caractère de Félix à travers ces quelques vers ?

6. On peut douter de la sincérité de Félix aux vers 869 à 872 : est-ce bien l'amour qui lui a fait choisir Polyeucte comme gendre ? Justifiez votre réponse. Peut-on parler de générosité de la part de Félix ? Quel est l'élément nouveau apporté par le vers 932 ? Mettez-le en parallèle avec le vers 930.

7. Comment qualifier la réponse de Félix à Pauline dans les vers 954 et 955 ? Montrez en citant le texte qu'ils annoncent l'intransigeance de Félix à la scène 4. Quel sens donner au quiproquo provoqué par les deux premiers vers de la scène 3 ?

Ensemble de l'acte III

LA TENSION DRAMATIQUE

1. L'action d'éclat public de Polyeucte et de Néarque (rapportée par Stratonice), placée au centre de la tragédie est-elle un moyen de réaliser l'unité dramatique de la pièce ? Le lien entre les deux conflits (amoureux et religieux) devient-il évident ? Justifiez votre réponse.

2. Polyeucte est au cœur de toutes les scènes mais absent de l'acte III ; quels sont les personnages dont nous suivons les conflits intérieurs ? Le sujet tragique est un personnage déchiré entre deux devoirs ou désirs, la médiocrité de Félix l'exclue-t-elle de la tragédie ? Pourquoi ?

LES CONFIDENTS

3. Comparez Stratonice, Albin et Fabian. En quoi Albin est-il supérieur aux deux autres ?

POUVOIR ET POLITIQUE

4. Quel est le nouvel élément qui complique la situation politique à la fin de la scène 5 ? À travers Félix, quelle image de l'homme politique Corneille nous donne-t-il ? Montrez la place de la peur et de l'ambition dans les réflexions de Félix. Quel jugement porte-t-il sur Sévère ? Quelles intentions lui prête-t-il ? Pourquoi ? Qu'indique le dernier vers de la scène 5 ?

Polyeucte (Jacques Destoop).
Mise en scène de Jean Marchat. Comédie-Française, 1960.

Acte IV

SCÈNE PREMIÈRE. POLYEUCTE, CLÉON, TROIS AUTRES GARDES.

POLYEUCTE

Gardes, que me veut-on ?

CLÉON

Pauline vous demande.

POLYEUCTE

Ô présence, ô combat que surtout j'appréhende!
Félix, dans la prison, j'ai triomphé de toi.
J'ai ri de ta menace et t'ai vu sans effroi :
Tu prends pour t'en venger de plus puissantes armes;
1085 Je craignais beaucoup moins tes bourreaux que ses larmes.
Seigneur, qui vois ici les périls que je cours,
En ce pressant besoin redouble ton secours;
Et toi qui, tout sortant encor de la victoire,
Regardes mes travaux du séjour de ta gloire,
1090 Cher Néarque, pour vaincre un si fort ennemi,
Prête du haut du ciel la main à ton ami.
Gardes, oseriez-vous me rendre un bon office ?
Non pour me dérober aux rigueurs du supplice :
Ce n'est pas mon dessein qu'on me fasse évader;
1095 Mais, comme il suffira de trois à me garder,
L'autre m'obligerait d'aller quérir Sévère;
Je crois que sans péril on peut me satisfaire :
Si j'avais pu lui dire un secret important,
Il vivrait plus heureux, et je mourrais content.

1100   CLÉON

Si vous me l'ordonnez, j'y cours en diligence[1].

---

1. *En diligence* : rapidement.

POLYEUCTE

Sévère, à mon défaut, fera ta récompense.
Va, ne perds point de temps, et reviens promptement.

CLÉON

Je serai de retour, seigneur, dans un moment[1].

SCÈNE 2.   POLYEUCTE.

Les gardes se retirent aux coins du théâtre.
1105 Source délicieuse[2], en misères féconde,
Que voulez-vous de moi, flatteuses voluptés ?
Honteux attachements de la chair et du monde,
Que ne me quittez-vous, quand je vous ai quittés ?
Allez, honneurs, plaisirs, qui me livrez la guerre :
1110   Toute votre félicité,
      Sujette à l'instabilité,
      En moins de rien tombe par terre ;
      Et comme elle a l'éclat du verre,
      Elle en a la fragilité.

1115 Ainsi n'espérez pas qu'après vous je soupire :
Vous étalez en vain vos charmes impuissants ;
Vous me montrez en vain par tout ce vaste empire
Les ennemis de Dieu pompeux et florissants.
Il étale à son tour des revers[3] équitables
1120   Par qui les grands sont confondus ;
      Et les glaives qu'il tient pendus[4]
      Sur les plus fortunés coupables
      Sont d'autant plus inévitables
      Que leurs coups sont moins attendus.

---

1. *Dans un moment :* tout de suite.
2. *Source délicieuse :* source de plaisirs.
3. *Revers :* renversements de fortune.
4. *Les glaives ... pendus :* référence à l'épée de Damoclès.

1125 Tigre altéré de sang, Décie impitoyable,
Ce Dieu t'a trop longtemps abandonné les siens;
De ton heureux destin vois la suite effroyable :
Le Scythe va venger la Perse et les chrétiens[1];
Encore un peu plus outre[2], et ton heure est venue;
1130   Rien ne t'en saurait garantir;
       Et la foudre qui va partir,
       Toute prête à crever la nue[3],
       Ne peut plus être retenue
       Par l'attente du repentir.

1135 Que cependant Félix m'immole à ta colère;
Qu'un rival plus puissant éblouisse ses yeux,
Qu'aux dépens de ma vie il s'en fasse beau-père,
Et qu'à titre d'esclave il commande en ces lieux :
Je consens, ou plutôt j'aspire à ma ruine.
1140   Monde, pour moi tu n'as plus rien :
       Je porte en un cœur tout chrétien
       Une flamme toute divine;
       Et je ne regarde Pauline
       Que comme un obstacle à mon bien.

1145 Saintes douceurs du ciel, adorables idées[4],
Vous remplissez un cœur qui vous peut recevoir;
De vos sacrés attraits les âmes possédées
Ne conçoivent plus rien qui les puisse émouvoir.
Vous promettez beaucoup et donnez davantage;
1150   Vos biens ne sont point inconstants;
       Et l'heureux trépas que j'attends
       Ne vous sert que d'un doux passage
       Pour nous introduire au partage[5]
       Qui nous rend à jamais contents.

---

1. Décie mourut en 251 dans la guerre contre les Goths, au pays des Scythes.
2. *Encore un peu plus outre* : encore un peu de temps.
3. *Nue* : nuage.
4. *Idées* : ici, réalités célestes.
5. *Partage* : part de biens célestes attribuée à chacun.

1155 C'est vous, ô feu divin que rien ne peut éteindre,
Qui m'allez faire voir Pauline sans la craindre.
Je la vois; mais mon cœur, d'un saint zèle enflammé,
N'en goûte plus l'appas dont il était charmé :
Et mes yeux, éclairés des célestes lumières,
1160 Ne trouvent plus aux siens leurs grâces coutumières.

SCÈNE 3.   POLYEUCTE, PAULINE, GARDES.

POLYEUCTE

Madame, quel dessein vous fait me demander ?
Est-ce pour me combattre, ou pour me seconder ?
Cet effort généreux de votre amour parfaite
Vient-il à mon secours, vient-il à ma défaite ?
1165 Apportez-vous ici la haine ou l'amitié,
Comme mon ennemie, ou ma chère moitié[1] ?

PAULINE

Vous n'avez point ici d'ennemi que vous-même :
Seul vous vous haïssez, lorsque chacun vous aime;
Seul vous exécutez tout ce que j'ai rêvé :
1170 Ne veuillez pas vous perdre, et vous êtes sauvé.
À quelque extrémité que votre crime passe[2],
Vous êtes innocent si vous vous faites grâce.
Daignez considérer le sang dont vous sortez,
Vos grandes actions, vos rares qualités;
1175 Chéri de tout le peuple, estimé chez le prince,
Gendre du gouverneur de toute la province,
Je ne vous compte à rien[3] le nom de mon époux :

---

1. *Moitié* : épouse; terme qui n'a pas de connotation vulgaire au XVIIᵉ siècle.
2. *Passe* : en arrive.
3. *À rien* : pour rien.

C'est un bonheur pour moi qui n'est pas grand pour vous ;
Mais après vos exploits, après votre naissance,
1180 Après votre pouvoir, voyez notre espérance,
Et n'abandonnez pas à la main d'un bourreau
Ce qu'à nos justes vœux promet un sort si beau.

POLYEUCTE

Je considère plus ; je sais mes avantages,
Et l'espoir que sur eux forment les grands courages :
1185 Ils n'aspirent enfin[1] qu'à des biens passagers,
Que troublent les soucis, que suivent les dangers ;
La mort nous les ravit, la fortune s'en joue ;
Aujourd'hui dans le trône, et demain dans la boue ;
Et leur plus haut éclat fait tant de mécontents
1190 Que peu de vos Césars en ont joui longtemps.
J'ai de l'ambition, mais plus noble et plus belle :
Cette grandeur périt, j'en veux une immortelle,
Un bonheur assuré, sans mesure et sans fin,
Au-dessus de l'envie, au-dessus du destin.
1195 Est-ce trop l'acheter que d'une triste vie
Qui tantôt[2], qui soudain me peut être ravie,
Qui ne me fait jouir que d'un instant qui fuit,
Et ne peut m'assurer de celui qui le suit ?

PAULINE

Voilà de vos chrétiens les ridicules songes ;
1200 Voilà jusqu'à quel point vous charment leurs mensonges :
Tout votre sang est peu pour un bonheur si doux,
Mais, pour en disposer[3], ce sang est-il à vous ?
Vous n'avez pas la vie ainsi qu'un héritage ;
Le jour qui vous la donne en même temps l'engage[4] :
1205 Vous la devez au prince, au public, à l'État.

---

1. *Enfin* : en fait.
2. *Tantôt* : bientôt.
3. *Pour en disposer* : pour pouvoir en disposer.
4. *L'engage* : lui impose un engagement.

POLYEUCTE

Je la voudrais pour eux perdre dans un combat;
Je sais quel en est l'heur, et quelle en est la gloire.
Des aïeux de Décie on vante la mémoire.
Et ce nom, précieux encore à vos Romains,
1210 Au bout de six cents ans lui met l'empire aux mains.
Je dois ma vie au peuple, au prince, à sa couronne;
Mais je la dois bien plus au Dieu qui me la donne :
Si mourir pour son prince est un illustre sort,
Quand on meurt pour son Dieu, quelle sera la mort!

PAULINE

1215 Quel Dieu ?

POLYEUCTE

Tout beau[1], Pauline : il entend vos paroles.
Et ce n'est pas un Dieu comme vos dieux frivoles,
Insensibles et sourds, impuissants, mutilés,
De bois, de marbre ou d'or, comme vous les voulez :
C'est le Dieu des chrétiens, c'est le mien, c'est le vôtre;
1220 Et la terre et le ciel n'en connaissent point d'autre.

PAULINE

Adorez-le dans l'âme, et n'en témoignez rien.

POLYEUCTE

Que je sois tout ensemble idolâtre et chrétien!

PAULINE

Ne feignez qu'un moment, laissez partir Sévère,
Et donnez lieu d'agir aux bontés de mon père[2].

POLYEUCTE

1225 Les bontés de mon Dieu sont bien plus à chérir :
Il m'ôte des périls que j'aurais pu courir.
Et, sans me laisser lieu de tourner en arrière[3],

---

1. *Tout beau* : expression utilisée pour faire taire quelqu'un ou le calmer.
2. *Donnez ... père* : laissez les bontés de mon père agir en votre faveur.
3. *Me laisser ... arrière* : laisser à mon ardeur le temps de se relâcher.

Sa faveur me couronne entrant dans la carrière[1];
Du premier coup de vent il me conduit au port,
1230 Et, sortant du baptême, il m'envoie à la mort.
Si vous pouviez comprendre, et le peu qu'est la vie,
Et de quelles douceurs cette mort est suivie!
Mais que sert de parler de ces trésors cachés
À des esprits que Dieu n'a pas encor touchés ?

PAULINE

1235 Cruel! (car il est temps que ma douleur éclate,
Et qu'un juste reproche accable une âme ingrate),
Est-ce là ce beau feu ? sont-ce là tes serments ?
Témoignes-tu pour moi les moindres sentiments ?
Je ne te parlais point de l'état déplorable
1240 Où ta mort va laisser ta femme inconsolable;
Je croyais que l'amour t'en parlerait assez,
Et je ne voulais pas de sentiments forcés;
Mais cette amour si ferme et si bien méritée
Que tu m'avais promise, et que je t'ai portée,
1245 Quand tu me veux quitter, quand tu me fais mourir,
Te peut-elle arracher une larme, un soupir ?
Tu me quittes, ingrat, et le fais avec joie;
Tu ne la caches pas[2], tu veux que je la voie,
Et ton cœur, insensible à ces tristes appas,
1250 Se figure un bonheur où je ne serai pas!
C'est donc là le dégoût qu'apporte l'hyménée ?
Je te suis odieuse après m'être donnée!

POLYEUCTE

Hélas!

PAULINE

Que cet hélas a de peine à sortir!.
Encor s'il commençait un heureux repentir.

---

1. *Entrant dans la carrière* : à peine ai-je accompli mes premiers pas de chrétien
(« carrière » signifie « parcours » et est employé ici symboliquement).
2. *Tu ne la caches pas* : tu ne caches pas ta joie.

Polyeucte (Richard Fontana) et Pauline (Claude Mathieu).
Mise en scène de Jorge Lavelli. Comédie-Française, 1987.

1255 Que, tout forcé qu'il est, j'y trouverais de charmes!
Mais courage! il s'émeut, je vois couler des larmes.

POLYEUCTE

J'en verse, et plût à Dieu qu'à force d'en verser
Ce[1] cœur trop endurci se pût enfin percer!
Le déplorable état où je vous abandonne
1260 Est bien digne des pleurs que mon amour vous donne;
Et si l'on peut au ciel sentir quelques douleurs,
J'y pleurerai pour vous l'excès de vos malheurs;
Mais si, dans ce séjour de gloire et de lumière,
Ce Dieu tout juste et bon peut souffrir ma prière,
1265 S'il y daigne écouter un conjugal amour,
Sur votre aveuglement il répandra le jour.
Seigneur, de vos bontés il faut que je l'obtienne;
Elle a trop de vertus pour n'être pas chrétienne :
Avec trop de mérite il vous plut[2] la former.
1270 Pour ne vous pas connaître et ne vous pas aimer,
Pour vivre des enfers esclave infortunée,
Et sous leur triste joug mourir comme elle est née.

PAULINE

Que dis-tu, malheureux ? Qu'oses-tu souhaiter ?

POLYEUCTE

Ce que de tout mon sang je voudrais acheter.

PAULINE

1275 Que plutôt...

POLYEUCTE

C'est en vain qu'on se met en défense :
Ce que Dieu touche les cœurs lorsque moins on y pense.
Ce bienheureux moment n'est pas encor venu;
Il viendra, mais le temps ne m'en est pas connu.

PAULINE

Quittez cette chimère, et m'aimez.

---

1. *Ce* : votre.
2. *Il vous plut* : il vous plut de.

POLYEUCTE

              Je vous aime,
1280 Beaucoup moins que mon Dieu, mais bien plus que moi-même.

PAULINE

Au nom de cet amour ne m'abandonnez pas.

POLYEUCTE

Au nom de cet amour daignez suivre mes pas.

PAULINE

C'est peu de me quitter, tu veux donc me séduire ?

POLYEUCTE

C'est peu d'aller au ciel, je vous y veux conduire.

PAULINE

1285 Imaginations !

POLYEUCTE

           Célestes vérités !

PAULINE

Étrange aveuglement !

POLYEUCTE

           Éternelles clartés !

PAULINE

Tu préfères la mort à l'amour de Pauline !

POLYEUCTE

Vous préférez le monde à la bonté divine !

PAULINE

Va, cruel, va mourir : tu ne m'aimas jamais.

POLYEUCTE

1290 Vivez heureuse au monde, et me laissez en paix.

PAULINE

Oui, je t'y vais laisser ; ne t'en mets plus en peine ;
Je vais...

Acte IV Scènes 1 à 3

LE COMBAT INTÉRIEUR DE POLYEUCTE

1. Pourquoi Polyeucte craint-il de voir Pauline à la scène 1 ? Dans cette perspective, quel est le rôle du monologue de la scène 2 ?

2. Analysez les strophes des stances (voir p. 188) de Polyeucte et relevez-en les temps forts. Montrez l'évolution de sa pensée au cours de ce monologue.
Comment Polyeucte parvient-il à l'apaisement manifesté dans la cinquième stance ? À quoi voit-on que ce monologue lui permet de recevoir Pauline ? Examinez les vers 1155 à 1160. Comparez-les aux vers 1105 à 1108, 1085 à 1092 et au vers 87.

UN DIALOGUE IMPOSSIBLE

3. Expliquez le ton de froideur avec lequel Polyeucte accueille Pauline dans la scène 3. Peut-on rapprocher cette scène du début de la scène 2 de l'acte II ? Pourquoi ? Dégagez la nature des arguments qu'invoque Pauline pour convaincre Polyeucte. Qu'essaie-t-elle de faire dans les vers 1199 et 1200 ? Est-ce une erreur de sa part ? Justifiez votre réponse.
Comment le mot « cruel » (v. 1235) marque-t-il la tournure plus personnelle et violente que prend leur échange. Que signifie le soudain passage de Pauline au tutoiement ?

4. Pourquoi Polyeucte pleure-t-il (v. 1256 à 1262) ? Comment Pauline interprète-t-elle ces larmes ? En quoi la prière qu'il adresse à Dieu (v. 1267 à 1272) est-elle une preuve d'amour et d'estime ? Comment Pauline la reçoit-elle ?

SCÈNE 4. POLYEUCTE, PAULINE, SÉVÈRE, FABIAN, GARDES.

PAULINE

Mais quel dessein en ce lieu vous amène,
Sévère ? Aurait-on cru qu'un cœur si généreux
Pût venir jusqu'ici braver un malheureux ?

POLYEUCTE

1295 Vous traitez mal, Pauline, un si rare mérite :
À ma seule prière il rend cette visite.
Je vous ai fait, seigneur, une incivilité.
Que vous pardonnerez à ma captivité.
Possesseur d'un trésor dont je n'étais pas digne,
1300 Souffrez avant ma mort que je vous le résigne[1],
Et laisse la vertu la plus rare à nos yeux
Qu'une femme jamais pût recevoir des cieux
Aux mains du plus vaillant et du plus honnête homme
Qu'ait adoré la terre et qu'ait vu naître Rome.
1305 Vous êtes digne d'elle, elle est digne de vous;
Ne la refusez pas de la main d'un époux;
S'il vous a désunis, sa mort vous va rejoindre[2].
Qu'un feu jadis si beau n'en devienne pas moindre :
Rendez-lui votre cœur, et recevez sa foi;
1310 Vivez heureux ensemble, et mourez comme moi;
C'est le bien qu'à tous deux Polyeucte désire.
Qu'on me mène à la mort, je n'ai plus rien à dire.
Allons, gardes, c'est fait.

SCÈNE 5. SÉVÈRE, PAULINE, FABIAN.

SÉVÈRE

Dans mon étonnement,
Je suis confus pour lui de son aveuglement;

1. *Résigne* : confie (terme juridique).
2. *Rejoindre* : réunir.

1315 Sa résolution a si peu de pareilles
Qu'à peine je me fie encore à mes oreilles.
Un cœur qui vous chérit (mais quel cœur assez bas
Aurait pu vous connaître et ne vous chérir pas ?),
Un homme aimé de vous, sitôt qu'il vous possède,
1320 Sans regret il vous quitte ; il fait plus, il vous cède ;
Et comme si vos feux étaient un don fatal[1],
Il en fait un présent lui-même à son rival !
Certes ou les chrétiens ont d'étranges manies,
Ou leurs félicités doivent être infinies,
1325 Puisque, pour y prétendre, ils osent rejeter
Ce que de tout l'empire il faudrait acheter.
Pour moi, si mes destins, un peu plus tôt propices,
Eussent de votre hymen honoré mes services,
Je n'aurais adoré que l'éclat de vos yeux.
1330 J'en aurais fait mes rois, j'en aurais fait mes dieux ;
On m'aurait mis en poudre, on m'aurait mis en cendre,
Avant que...

PAULINE

Brisons là : je crains de trop entendre,
Et que cette chaleur, qui sent vos premiers feux,
Ne pousse[2] quelque suite indigne de tous deux.
1335 Sévère, connaissez Pauline toute entière.
Mon Polyeucte touche à son heure dernière ;
Pour achever de vivre il n'a plus qu'un moment :
Vous en êtes la cause encore qu'innocemment
Je ne sais si votre âme, à vos désirs ouverte,
1340 Aurait osé former quelque espoir sur sa perte ;
Mais sachez qu'il n'est point de si cruels trépas
Où d'un front assuré je ne porte mes pas,
Qu'il n'est point aux enfers d'horreurs que je n'endure,
Plutôt que de souiller une gloire si pure,
1345 Que d'épouser un homme, après son triste sort,
Qui de quelque façon soit cause de sa mort ;

---

1. *Fatal* : funeste.
2. *Ne pousse* : n'entraîne.

Et si vous me croyiez d'une âme si peu saine,
L'amour que j'eus pour vous tournerait toute en haine.
Vous êtes généreux; soyez-le jusqu'au bout.
1350 Mon père est en état de[1] vous accorder tout.
Il vous craint; et j'avance encor cette parole.
Que s'il perd mon époux, c'est à vous qu'il l'immole;
Sauvez ce malheureux, employez-vous pour lui;
Faites-vous un effort[2] pour lui servir d'appui.
1355 Je sais que c'est beaucoup que ce que je demande;
Mais plus l'effort est grand, plus la gloire en est grande.
Conserver un rival dont vous êtes jaloux.
C'est un trait de vertu qui n'appartient qu'à vous;
Et si ce n'est assez de votre renommée,
1360 C'est beaucoup qu'une femme autrefois tant aimée,
Et dont l'amour peut-être encor vous peut toucher,
Doive à votre grand cœur ce qu'elle a de plus cher :
Souvenez-vous enfin que vous êtes Sévère.
Adieu : résolvez seul ce que vous voulez faire;
1365 Si vous n'êtes pas tel que je l'ose espérer,
Pour vous priser encor je le veux ignorer.

SCÈNE 6. SÉVÈRE, FABIAN.

SÉVÈRE

Qu'est ceci, Fabian ? quel nouveau coup de foudre
Tombe sur mon bonheur, et le réduit en poudre ?
Plus je l'estime près, plus il est éloigné;
1370 Je trouve tout perdu quand je crois tout gagné;
Et toujours la fortune, à me nuire obstinée,

---

1. *Est en état de :* est prêt à.
2. *Faites-vous un effort :* faites-vous violence.

Tranche mon espérance aussitôt qu'elle est née :
Avant qu'offrir des vœux je reçois des refus;
Toujours triste, toujours et honteux et confus
1375 De voir que lâchement elle[1] ait osé renaître,
Qu'encor plus lâchement elle ait osé paraître,
Et qu'une femme enfin dans la calamité
Me fasse des leçons de générosité.
Votre belle âme est haute autant que malheureuse,
1380 Mais elle est inhumaine autant que généreuse,
Pauline, et vos douleurs avec trop de rigueur
D'un amant tout à vous tyrannisent le cœur.
C'est donc peu de vous perdre, il faut que je vous donne,
Que je serve un rival lorsqu'il vous abandonne,
1385 Et que, par un cruel et généreux effort,
Pour vous rendre en ses mains, je l'arrache à la mort.

FABIAN

Laissez à son destin cette ingrate famille :
Qu'il accorde, s'il veut, le père avec la fille,
Polyeucte et Félix, l'épouse avec l'époux.
1390 D'un si cruel effort quel prix espérez-vous ?

SÉVÈRE

La gloire de montrer à cette âme si belle
Que Sévère l'égale, et qu'il est digne d'elle;
Qu'elle m'était bien due, et que l'ordre des cieux[2]
En me la refusant m'est trop injurieux[3].

FABIAN

1395 Sans accuser le sort ni le ciel d'injustice,
Prenez garde au péril qui suit un tel service;
Vous hasardez beaucoup, seigneur, pensez-y bien.
Quoi ? vous entreprenez de sauver un chrétien!
Pouvez-vous ignorer pour cette secte impie

---

1. *Elle* : mon espérance.
2. *L'ordre des cieux* : le destin.
3. *M'est trop injurieux* : se montre trop injuste envers moi.

1400 Quelle est et fut toujours la haine de Décie ?
C'est un crime vers[1] lui si grand, si capital,
Qu'à votre faveur même[2] il peut être fatal.

SÉVÈRE

Cet avis serait bon pour quelque âme commune.
S'il tient entre ses mains ma vie et ma fortune,
1405 Je suis encor Sévère, et tout ce grand pouvoir
Ne peut rien sur ma gloire, et rien sur mon devoir.
Ici l'honneur m'oblige, et j'y veux satisfaire;
Qu'après le sort se montre ou propice ou contraire,
Comme son naturel est toujours inconstant,
1410 Périssant glorieux, je périrai content.
Je te dirai bien plus, mais avec confidence[3] :
La secte des chrétiens n'est pas ce que l'on pense.
On les hait : la raison, je ne la connais point,
Et je ne vois Décie injuste qu'en ce point.
1415 Par curiosité j'ai voulu les connaître :
On les tient pour sorciers dont l'enfer est le maître,
Et sur cette croyance on punit du trépas
Des mystères secrets que nous n'entendons pas[4];
Mais Cérès Éleusine[5] et la Bonne Déesse[6]
1420 Ont leurs secrets, comme eux, à Rome et dans la Grèce;
Encore impunément nous souffrons en tous lieux,
Leur Dieu seul excepté, toutes sortes de dieux :
Tous les monstres d'Égypte ont leurs temples dans Rome;
Nos aïeux à leur gré faisaient un dieu d'un homme;
1425 Et leur sang parmi nous conservant leurs erreurs,
Nous remplissons le ciel de tous nos empereurs;
Mais, à parler sans fard de tant d'apothéoses[7],

---

1. *Vers* : envers.
2. *Qu'à votre faveur même* : qu'à la faveur même dont vous bénéficiez.
3. *Avec confidence* : confidentiellement.
4. *N'entendons pas* : ne comprenons pas.
5. *Cérès Éleusine* : religion à mystères, pratiquée en Grèce.
6. *La Bonne Déesse* : culte pratiqué à Rome.
7. *Apothéoses* : divinisations des empereurs.

L'effet est bien douteux de ces métamorphoses.
Les chrétiens n'ont qu'un Dieu, maître absolu de tout,
1430 De qui le seul vouloir fait tout ce qu'il résout;
Mais si j'ose entre nous dire ce qui me semble,
Les nôtres bien souvent s'accordent mal ensemble;
Et me dût leur colère écraser à tes yeux,
Nous en avons beaucoup pour être de vrais dieux.
1435 Enfin chez les chrétiens les mœurs sont innocentes,
Les vices détestés, les vertus florissantes :
Ils font des vœux pour nous qui les persécutons;
Et depuis tant de temps que nous les tourmentons[1],
Les a-t-on vus mutins ? les a-t-on vus rebelles ?
1440 Nos princes ont-ils eu des soldats plus fidèles ?
Furieux dans la guerre, ils souffrent[2] nos bourreaux,
Et, lions au combat, ils meurent en agneaux.
J'ai trop de pitié d'eux pour ne pas les défendre.
Allons trouver Félix; commençons par son gendre;
1445 Et contentons ainsi, d'une seule action,
Et Pauline, et ma gloire, et ma compassion.

---

1. *Tourmentons* : torturons.
2. *Souffrent* : endurent.

Acte IV Scènes 4 à 6

UN TRIO : CONFLIT D'INTÉRÊTS

1. Comment interpréter l'étrange proposition de Polyeucte dans la scène 4 ? Cet acte, même s'il se veut généreux, n'est-il pas choquant ? Pourquoi ?
N'y a-t-il pas une double négation de Pauline dans cet acte qui nie à la fois son existence et ses actions, à savoir son renoncement à Sévère ? Justifiez votre réponse.

2. Passé un mouvement de surprise, comment Sévère réagit-il ? Comment parvient-il à ternir l'image de Polyeucte (v. 1313 à 1331) ? Répondez en citant le texte.

3. Quelle est la valeur de l'impératif utilisé par Pauline au vers 1332 ? Commentez le « Mon Polyeucte » (v. 1336). Comment comprendre le soudain revirement de Pauline ? A-t-elle perçu la générosité de Polyeucte ou bien agit-elle pour d'autres motifs ? Justifiez votre réponse.
Pour sauver Polyeucte, elle fait de nouveau appel à la générosité de Sévère : à quels arguments recourt-elle pour le convaincre de l'aider ?

LA RÉSOLUTION DE SÉVÈRE

4. Au début de la scène 6 (v. 1379 à 1386), Sévère s'adresse directement à Pauline alors que celle-ci a quitté la scène. Pourquoi ? Pauline lui a-t-elle laissé le temps de répondre ? Justifiez votre réponse.
N'est-ce pas par sens du défi tout autant que par héroïsme que Sévère se résout à accepter la proposition de Pauline ? Citez le texte à l'appui de votre réponse.

5. L'attitude de Sévère prêt à défendre les chrétiens vous paraît-elle vraisemblable ? Pourquoi ? Quelle est l'implication du vers 1444 ? En quoi Corneille prépare-t-il la position qu'adoptera Sévère dans la scène finale de la pièce ?

Ensemble de l'acte IV

LA STRUCTURE

1. Examinez la structure des scènes. Y a-t-il un parallèle entre la scène 2 et la scène 6 ? Justifiez votre réponse à partir d'éléments précis tirés du texte.

2. Montrez que chaque scène apporte un élément décisif qui concourt à la tension dramatique.

LES EFFETS DE LA GRÂCE

3. L'évolution de Polyeucte au cours de l'acte IV : comment Corneille indique-t-il le raffermissement de sa foi ? Polyeucte semble-t-il désormais à l'abri de toute tentation terrestre ?

4. Outre le triomphe personnel de Polyeucte, quels sont les effets de la grâce de Polyeucte sur les autres personnages ? Peut-on parler d'un rayonnement qui, de Polyeucte, toucherait Pauline puis Sévère ? Pourquoi ? Sachant que ces deux derniers ne sont pas chrétiens, à quel niveau se situe leur grandeur d'âme ?

Félix (Jacques Sereys) et Albin (Jean-François Rémi).
Mise en scène de Jorge Lavelli. Comédie-Française, 1987.

Acte V

SCÈNE PREMIÈRE.   FÉLIX, ALBIN, CLÉON.

FÉLIX

Albin, as-tu bien vu la fourbe[1] de Sévère ?
As-tu bien vu sa haine ? et vois-tu ma misère ?

ALBIN

Je n'ai vu rien en lui qu'un rival généreux,
1450 Et ne vois rien en vous qu'un père rigoureux.

FÉLIX

Que tu discernes mal le cœur d'avec la mine !
Dans l'âme il hait Félix et dédaigne Pauline ;
Et s'il l'aima jadis, il estime aujourd'hui
Les restes d'un rival trop indignes de lui.
1455 Il parle en sa faveur, il me prie, il menace
Et me perdra, dit-il, si je ne lui fais grâce ;
Tranchant du généreux[2], il croit m'épouvanter ;
L'artifice est trop lourd pour ne pas l'éventer.
Je sais des gens de cour quelle est la politique,
1460 J'en connais mieux que lui la plus fine pratique.
C'est en vain qu'il tempête et feint d'être en fureur :
Je vois ce qu'il prétend[3] auprès de l'empereur.
De ce qu'il me demande il m'y ferait un crime :
Épargnant son rival, je serais sa victime ;
1465 Et s'il avait affaire à quelque maladroit,

---

1. *La fourbe* : la fourberie.
2. *Tranchant du généreux* : se donnant des airs d'homme généreux.
3. *Ce qu'il prétend* : ce qu'il convoite.

Le piège est bien tendu, sans doute il le perdrait[1];
Mais un vieux courtisan est un peu moins crédule :
Il voit quand on le joue, et quand on dissimule :
Et moi j'en ai tant vu de toutes les façons
1470 Qu'à lui-même au besoin j'en ferais des leçons.

ALBIN

Dieu! que vous vous gênez[2] par cette défiance!

FÉLIX

Pour subsister en cour c'est la haute science :
Quand un homme une fois a droit de nous haïr,
Nous devons présumer qu'il cherche à nous trahir;
1475 Toute son amitié nous doit être suspecte.
Si Polyeucte enfin n'abandonne sa secte,
Quoi que son protecteur ait pour lui dans l'esprit,
Je suivrai hautement l'ordre qui m'est prescrit.

ALBIN

Grâce, grâce, seigneur! que Pauline l'obtienne!

FÉLIX

1480 Celle de l'empereur ne suivrait pas la mienne,
Et loin de le tirer de ce pas dangereux
Ma bonté ne ferait que nous perdre tous deux.

ALBIN

Mais Sévère promet...

FÉLIX

Albin, je m'en défie,
Et connais mieux que lui la haine de Décie :
1485 En faveur des chrétiens s'il[3] choquait son courroux,
Lui-même assurément se perdrait avec nous.
Je veux tenter pourtant encore une autre voie :

---

1. *Perdrait* : l'orthographe du XVIIe siècle était « perdroit », qui rimait ainsi avec
« maladroit » (« oit » se prononçait alors « ouè »).
2. *Que vous vous gênez* : que vous vous tourmentez.
3. *Il* : Sévère.

Amenez Polyeucte ; et si je le renvoie,
S'il demeure insensible à ce dernier effort,
1490 Au sortir de ce lieu qu'on lui donne la mort.

ALBIN

Votre ordre est rigoureux.

FÉLIX

     Il faut que je le suive,
Si je veux empêcher qu'un désordre n'arrive.
Je vois le peuple ému[1] pour prendre son parti ;
Et toi-même tantôt tu m'en as averti.
1495 Dans ce zèle pour lui qu'il[2] fait déjà paraître,
Je ne sais si longtemps j'en pourrais être maître ;
Peut-être dès demain, dès la nuit, dès ce soir,
J'en verrais des effets que je ne veux pas voir ;
Et Sévère aussitôt, courant à sa vengeance,
1500 M'irait calomnier de quelque intelligence[3].
Il faut rompre ce coup, qui me serait fatal.

ALBIN

Que tant de prévoyance est un étrange mal !
Tout vous nuit, tout vous perd, tout vous fait de l'ombrage[4].
Mais voyez que sa mort mettra ce peuple en rage ;
1505 Que c'est mal le guérir que le désespérer.

FÉLIX

En vain après sa mort il voudra murmurer ;
Et s'il ose venir à quelque violence,
C'est à faire à[5] céder deux jours à l'insolence :
J'aurai fait mon devoir, quoi qu'il puisse arriver.
1510 Mais Polyeucte vient, tâchons à le sauver.
Soldats, retirez-vous, et gardez bien la porte.

---

1. *Ému :* soulevé, mécontent.
2. *Il :* le peuple.
3. *Intelligence :* complicité.
4. *Fait de l'ombrage :* inquiète.
5. *C'est à faire à :* nous en serons quitte pour.

SCÈNE 2.   FÉLIX, POLYEUCTE, ALBIN.

FÉLIX

As-tu donc pour la vie une haine si forte.
Malheureux Polyeucte ? et la loi des chrétiens
T'ordonne-t-elle ainsi d'abandonner les tiens ?

POLYEUCTE

1515 Je ne hais point la vie, et j'en aime l'usage,
Mais sans attachement qui sente l'esclavage,
Toujours prêt à la rendre au Dieu dont je la tiens :
La raison me l'ordonne, et la loi des chrétiens;
Et je vous montre à tous par là comme il faut vivre,
1520 Si vous avez le cœur assez bon pour me suivre.

FÉLIX

Te suivre dans l'abîme où tu veux te jeter ?

POLYEUCTE

Mais plutôt dans la gloire où je m'en vais monter.

FÉLIX

Donne-moi pour le moins le temps de la connaître :
Pour me faire chrétien, sers-moi de guide à l'être,
1525 Et ne dédaigne pas de m'instruire en ta foi,
Ou toi-même à ton Dieu tu répondras de moi.

POLYEUCTE

N'en riez point, Félix, il sera votre juge;
Vous ne trouverez point devant lui de refuge :
Les rois et les bergers y sont d'un même rang.
1530 De tous les siens sur vous il vengera le sang.

FÉLIX

Je n'en répandrai plus, et, quoi qu'il en arrive,
Dans la foi des chrétiens je souffrirai qu'on vive :
J'en serai protecteur.

POLYEUCTE

Non, non, persécutez,
Et soyez l'instrument de nos félicités :
1535 Celle d'un vrai chrétien n'est que dans les souffrances;

Les plus cruels tourments lui sont des récompenses.
Dieu, qui rend le centuple aux bonnes actions,
Pour comble donne encor les persécutions.
Mais ces secrets pour vous sont fâcheux[1] à comprendre :
1540 Ce n'est qu'à ses élus que Dieu les fait entendre.

FÉLIX

Je te parle sans fard et veux être chrétien.

POLYEUCTE

Qui[2] peut donc retarder l'effet d'un si grand bien ?

FÉLIX

La présence importune...

POLYEUCTE

Et de qui ? de Sévère ?

FÉLIX

Pour lui seul contre toi j'ai feint tant de colère :
1545 Dissimule un moment jusques à son départ.

POLYEUCTE

Félix, c'est donc ainsi que vous parlez sans fard ?
Portez à vos païens, portez à vos idoles
Le sucre empoisonné que sèment vos paroles :
Un chrétien ne craint rien, ne dissimule rien :
1550 Aux yeux de tout le monde il est toujours chrétien.

FÉLIX

Ce zèle de ta foi ne sert qu'à te séduire,
Si tu cours à la mort plutôt que de m'instruire.

POLYEUCTE

Je vous en parlerais ici hors de saison :
Elle est un don du ciel, et non de la raison :
1555 Et c'est là que bientôt, voyant Dieu face à face,
Plus aisément pour vous j'obtiendrai cette grâce.

---

1. *Fâcheux* : difficiles.
2. *Qui* : qu'est-ce qui.

FÉLIX

Ta perte cependant me va désespérer.

POLYEUCTE

Vous avez en vos mains de quoi la réparer :
En vous ôtant un gendre, on vous en donne un autre,
1560 Dont la condition répond mieux à la vôtre ;
Ma perte n'est pour vous qu'un change[1] avantageux.

FÉLIX

Cesse de me tenir ce discours outrageux.
Je t'ai considéré plus que tu ne mérites,
Mais malgré ma bonté, qui croît plus tu l'irrites,
1565 Cette insolence enfin te rendrait odieux.
Et je me vengerais aussi bien que[2] nos dieux.

POLYEUCTE

Quoi ? vous changez bientôt[3] d'humeur et de langage !
Le zèle de vos dieux rentre en votre courage !
Celui d'être chrétien s'échappe ! et par hasard
1570 Je vous viens d'obliger à me parler sans fard !

FÉLIX

Va, ne présume pas que quoi que je te jure,
De tes nouveaux docteurs[4] je suive l'imposture :
Je flattais ta manie, afin de t'arracher
Du honteux précipice où tu vas trébucher ;
1575 Je voulais gagner temps, pour ménager ta vie
Après l'éloignement d'un flatteur de Décie ;
Mais j'ai trop fait d'injure à nos dieux tout-puissants :
Choisis de leur donner ton sang ou de l'encens.

POLYEUCTE

Mon choix n'est point douteux. Mais j'aperçois Pauline.
1580 Ô ciel !

---

1. *Change* : changement.
2. *Aussi bien que* : en même temps que je vengerais.
3. *Bientôt* : bien rapidement.
4. *Docteurs* : maîtres.

126

Acte V Scènes 1 et 2

LES MANŒUVRES DE FÉLIX

1. Dans la scène 1, quels sont les éléments qui font de Félix un mauvais politique ? Pourquoi Félix s'est-il mépris sur la démarche de Sévère ? Relevez la part respective de peur, de vanité et de manque de finesse qui l'ont conduit à agir de la sorte. Quel est le rôle du peuple dans cette scène ?

2. En quoi l'attitude d'Albin est-elle remarquable ? Cède-t-il devant les arguments de Félix ? Citez le texte.

3. Est-il possible de croire en la sincérité de Félix lorsqu'il prétend vouloir devenir chrétien ? Pourquoi cette ruse ne fonctionne-t-elle pas ? Relevez dans la scène 2 les vers qui indiquent que Félix ne cherche qu'à gagner du temps.

CONVICTION ET LUCIDITÉ DE POLYEUCTE

4. Polyeucte ne se contente pas d'avoir été touché par la grâce, il y ajoute une forme de militantisme (prosélytisme). Quand invite-t-il Félix à le suivre ? N'a-t-il pas déjà tenté d'entraîner d'autres personnages à sa suite ? À quels moments ? Comment comprendre les vers 1534 et 1535 ?

5. Relevez l'ironie de la remarque faite par Polyeucte dans les vers 1558 à 1561, comparez-la aux remarques de Pauline dans la scène 3 de l'acte III.

6. Qu'indiquent les deux mots de Polyeucte qui terminent la scène 2 ?

SCÈNE 3.   FÉLIX, POLYEUCTE, PAULINE, ALBIN.

PAULINE

Qui de vous deux aujourd'hui m'assassine ?
Sont-ce tous deux ensemble, ou chacun à son tour ?
Ne pourrai-je fléchir la nature ou l'amour ?
Et n'obtiendrai-je rien d'un époux ni d'un père ?

FÉLIX

Parlez à votre époux.

POLYEUCTE

Vivez avec Sévère.

PAULINE

1585   Tigre, assassine-moi du moins sans m'outrager.

POLYEUCTE

Mon amour, par pitié, cherche à vous soulager;
Il voit quelle douleur dans l'âme vous possède,
Et sait qu'un autre amour en est le seul remède.
Puisqu'un si grand mérite a pu vous enflammer.
1590   Sa présence toujours a droit de vous charmer :
Vous l'aimiez, il vous aime, et sa gloire augmentée...

PAULINE

Que t'ai-je fait, cruel, pour être ainsi traitée.
Et pour me reprocher, au mépris de ma foi,
Un amour si puissant que j'ai vaincu pour toi ?
1595   Vois, pour te faire vaincre un si fort adversaire,
Quels efforts à moi-même il a fallu me faire.
Quels combats j'ai donnés pour te donner un cœur
Si justement acquis à son premier vainqueur
Et si l'ingratitude en ton cœur ne domine,
1600   Fais quelque effort sur toi pour te rendre à Pauline :
Apprends d'elle à forcer ton propre sentiment;
Prends sa vertu pour guide en ton aveuglement;
Souffre que de toi-même elle obtienne ta vie,
Pour vivre sous tes lois à jamais asservie.
1605   Si tu peux rejeter de si justes désirs,

128

Regarde au moins ses pleurs, écoute ses soupirs;
Ne désespère pas une âme qui t'adore.

POLYEUCTE

Je vous l'ai déjà dit, et vous le dis encore,
Vivez avec Sévère, ou mourez avec moi.
1610 Je ne méprise point vos pleurs ni votre foi;
Mais, de quoi que pour vous notre amour m'entretienne,
Je ne vous connais plus, si vous n'êtes chrétienne.
C'en est assez, Félix, reprenez ce courroux.
Et sur cet insolent[1] vengez vos dieux et vous.

PAULINE

1615 Ah! mon père, son crime à peine est pardonnable;
Mais s'il est insensé, vous êtes raisonnable.
La nature est trop forte, et ses aimables traits
Imprimés dans le sang ne s'effacent jamais :
Un père est toujours père, et sur cette assurance
1620 J'ose appuyer encore un reste d'espérance.
Jetez sur votre fille un regard paternel :
Ma mort suivra la mort de ce cher criminel;
Et les dieux trouveront sa peine illégitime,
Puisqu'elle confondra l'innocence et le crime.
1625 Et qu'elle changera, par ce redoublement,
En injuste rigueur un juste châtiment;
Nos destins, par vos mains rendus inséparables,
Nous doivent rendre heureux ensemble ou misérables,
Et vous seriez cruel jusques au dernier point
1630 Si vous désunissiez ce que vous avez joint.
Un cœur à l'autre uni jamais ne se retire,
Et pour l'en séparer il faut qu'on le déchire.
Mais vous êtes sensible à mes justes douleurs,
Et d'un œil paternel vous regardez mes pleurs.

FÉLIX

1635 Oui, ma fille, il est vrai qu'un père est toujours père;
Rien n'en peut effacer le sacré caractère :

---

1. *Cet insolent* : l'insolent que je suis.

129

Je porte un cœur sensible, et vous l'avez percé ;
Je me joins avec vous contre cet insensé.
Malheureux Polyeucte, es-tu seul insensible ?
1640 Et veux-tu rendre seul ton crime irrémissible[1] ?
Peux-tu voir tant de pleurs d'un œil si détaché ?
Peux-tu voir tant d'amour sans en être touché ?
Ne reconnais-tu plus ni beau-père, ni femme,
Sans amitié pour l'un, et pour l'autre sans flamme ?
1645 Pour reprendre les noms et de gendre et d'époux,
Veux-tu nous voir tous deux embrasser tes genoux ?

POLYEUCTE

Que tout cet artifice est de mauvaise grâce !
Après avoir deux fois essayé la menace,
Après m'avoir fait voir Néarque dans la mort,
1650 Après avoir tenté l'amour et son effort,
Après m'avoir montré cette soif du baptême,
Pour opposer à Dieu l'intérêt de Dieu même,
Vous vous joignez ensemble ! Ah ! ruses de l'enfer,
Faut-il tant de fois vaincre avant que triompher ?
1655 Vos résolutions usent trop de remise[2] :
Prenez la vôtre enfin, puisque la mienne est prise.
Je n'adore qu'un Dieu, maître de l'univers,
Sous qui tremblent le ciel, la terre, et les enfers ;
Un Dieu qui, nous aimant d'une amour infinie,
1660 Voulut mourir pour nous avec ignominie,
Et qui, par un effort de cet excès d'amour,
Veut pour nous en victime être offert chaque jour.
Mais j'ai tort d'en parler à qui ne peut m'entendre.
Voyez l'aveugle erreur que vous osez défendre :
1665 Des crimes les plus noirs vous souillez tous vos dieux ;
Vous n'en punissez point qui n'ait son maître aux cieux :

---

1. *Veux-tu ... irrémissible* : n'y a-t-il que toi qui veuilles empêcher que ton crime
soit pardonné.
2. *Vos ... remise* : vous tardez trop à prendre votre décision.

La prostitution, l'adultère, l'inceste,
Le vol, l'assassinat, et tout ce qu'on déteste,
C'est l'exemple qu'à suivre offrent vos immortels.
1670 J'ai profané leur temple et brisé leurs autels;
Je le ferais encor, si j'avais à le faire[1],
Même aux yeux de Félix, même aux yeux de Sévère,
Même aux yeux du sénat, aux yeux de l'empereur.

FÉLIX

Enfin ma bonté cède à ma juste fureur;
1675 Adore-les, ou meurs.

POLYEUCTE

Je suis chrétien.

FÉLIX

Impie!
Adore-les, te dis-je, ou renonce à la vie.

POLYEUCTE

Je suis chrétien.

FÉLIX

Tu l'es ? Ô cœur trop obstiné!
Soldats, exécutez l'ordre que j'ai donné.

PAULINE

Où le conduisez-vous ?

FÉLIX

À la mort.

POLYEUCTE

À la gloire.
1680 Chère Pauline, adieu : conservez ma mémoire.

PAULINE

Je te suivrai partout, et mourrai si tu meurs.

---

1. Vers utilisé dans le Cid (v. 878).

POLYEUCTE

Ne suivez point mes pas, ou quittez vos erreurs.

FÉLIX

Qu'on l'ôte de mes yeux, et que l'on obéisse :
Puisqu'il aime à périr, je consens qu'il périsse.

SCÈNE 4.   FÉLIX, ALBIN.

FÉLIX

1685 Je me fais violence, Albin, mais je l'ai dû :
Ma bonté naturelle aisément m'eût perdu.
Que la rage du peuple à présent se déploie.
Que Sévère en fureur tonne, éclate, foudroie,
M'étant fait cet effort, j'ai fait ma sûreté[1],
1690 Mais n'es-tu point surpris de cette dureté[2] ?
Vois-tu, comme le sien, des cœurs impénétrables[3]
Ou des impiétés à ce point exécrables ?
Du moins j'ai satisfait mon esprit affligé :
Pour amollir son cœur je n'ai rien négligé ;
1695 J'ai feint même à ses yeux des lâchetés extrêmes ;
Et certes sans l'horreur de ses derniers blasphèmes,
Qui m'ont rempli soudain de colère et d'effroi,
J'aurais eu de la peine à triompher de moi.

ALBIN

Vous maudirez peut-être un jour cette victoire,
1700 Qui tient je ne sais quoi d'une action trop noire,

---

1. *J'ai fait ma sûreté* : je me suis protégé de tout danger.
2. *Cette dureté* : la fermeté de Polyeucte.
3. *Impénétrables* : intransigeants.

Félix (Silvain, 1851-1930).
Bibliothèque de l'Arsenal, Paris.

Indigne de Félix, indigne d'un Romain,
Répandant votre sang[1] par votre propre main.

FÉLIX

Ainsi l'ont autrefois versé Brute et Manlie[2],
Mais leur gloire en a crû, loin d'en être affaiblie ;
1705 Et quand nos vieux héros avaient de mauvais sang,
Ils eussent, pour le perdre, ouvert leur propre flanc.

ALBIN

Votre ardeur vous séduit : mais quoi qu'elle vous die[3],
Quand vous la sentirez une fois refroidie,
Quand vous verrez Pauline, et que son désespoir
1710 Par ses pleurs et ses cris saura vous émouvoir...

FÉLIX

Tu me fais souvenir qu'elle a suivi ce traître,
Et que ce désespoir qu'elle fera paraître
De mes commandements pourra troubler l'effet ;
Va donc ; cours y mettre ordre et voir ce qu'elle fait ;
1715 Romps ce que ses douleurs y donneraient d'obstacle ;
Tire-la, si tu peux, de ce triste spectacle ;
Tâche à la consoler. Va donc : qui te retient ?

ALBIN

Il n'en est pas besoin, seigneur, elle revient.

---

1. *Votre sang* : le sang d'un membre de votre famille.
2. *Brute et Manlie* : Brutus (VIᵉ siècle av. J.-C.) et Manlius (IVᵉ siècle av. J.-C.),
deux consuls qui firent exécuter leurs fils.
3. *Die* : dise (« die » est la forme classique du verbe dire au subjonctif).

Acte V Scènes 3 et 4

LE CALVAIRE DE POLYEUCTE

1. La scène 3 apporte-t-elle de nouveaux éléments ? N'est-elle pas plutôt une reprise de deux autres scènes de l'acte précédent ? Justifiez votre réponse. Montrez comment les arguments semblent s'épuiser. À la lumière des vers 1654 et 1671, quelle peut être alors la fonction de cette scène ?

À l'exception de Pauline, n'a-t-on pas l'impression que les personnages sont figés dans leur attitude respective ? Justifiez votre réponse. Pourquoi Pauline ne renonce-t-elle pas ? Que signifie la dernière réplique de Polyeucte (v. 1682) ?

LA DERNIÈRE JUSTIFICATION DE FÉLIX

2. En quoi Félix a-t-il le sentiment d'avoir fait son devoir ? Ne fait-il pas preuve de mauvaise foi ? Expliquez votre réponse à l'aide d'exemples tirés du texte. Y a-t-il en Félix un trait impulsif qui l'a conduit à envoyer Polyeucte à la mort ? Citez le texte à l'appui de votre réponse. N'y a-t-il pas un nouveau danger qui menace la sécurité politique de Félix ? Quel est-il ?

3. Comment Albin réagit-il aux déclarations de Félix ? Sort-il de son rôle de confident ? Montrez à quelles occasions.

SCÈNE 5. FÉLIX, PAULINE, ALBIN.

PAULINE

Père barbare, achève, achève ton ouvrage;
1720 Cette seconde hostie[1] est digne de ta rage;
Joins ta fille à ton gendre; ose, que tardes-tu ?
Tu vois le même crime, ou la même vertu :
Ta barbarie en elle a les mêmes matières.
Mon époux en mourant m'a laissé ses lumières;
1725 Son sang, dont tes bourreaux viennent de me couvrir,
M'a dessillé les yeux et me les vient d'ouvrir.
Je vois, je sais, je crois, je suis désabusée[2] :
De ce bienheureux sang tu me vois baptisée,
Je suis chrétienne enfin, n'est-ce point assez dit ?
1730 Conserve en me perdant ton rang et ton crédit;
Redoute l'empereur, appréhende Sévère :
Si tu ne veux périr, ma perte est nécessaire,
Polyeucte m'appelle à cet heureux trépas;
Je vois Néarque et lui qui me tendent les bras.
1735 Mène, mène-moi voir tes dieux que je déteste;
Ils n'en ont brisé qu'un, je briserai le reste;
On m'y verra braver tout ce que vous craignez,
Ces foudres impuissants qu'en leurs mains vous peignez,
Et saintement rebelle aux lois de ma naissance,
1740 Une fois envers toi manquer d'obéissance.
Ce n'est point ma douleur que par là je fais voir;
C'est la grâce qui parle, et non le désespoir.
Le faut-il dire encor, Félix ? je suis chrétienne!
Affermis par ma mort ta fortune et la mienne :
1745 Le coup à l'un et l'autre en sera précieux,
Puisqu'il t'assure en terre en m'élevant aux cieux.

---

1. *Hostie* : victime.
2. *Désabusée* : détrompée.

Pauline (Marie-Rose Vestris, 1743-1804),
d'après Levacher de Charmois, 1786.
Bibliothèque de l'Opéra, Paris.

SCÈNE 6.   FÉLIX, SÉVÈRE, PAULINE, ALBIN, FABIAN.

SÉVÈRE

Père dénaturé, malheureux politique,
Esclave ambitieux d'une peur chimérique.
Polyeucte est donc mort! et par vos cruautés
1750 Vous pensez conserver vos tristes[1] dignités!
La faveur que pour lui je vous avais offerte,
Au lieu de le sauver, précipite sa perte!
J'ai prié, menacé, mais sans vous émouvoir;
Et vous m'avez cru fourbe ou de peu de pouvoir!
1755 Eh bien! à vos dépens vous verrez que Sévère
Ne se vante jamais que de ce qu'il peut faire;
Et par votre ruine il vous fera juger
Que qui peut bien vous perdre eût pu vous protéger.
Continuez aux dieux ce service fidèle;
1760 Par de telles horreurs montrez-leur votre zèle.
Adieu; mais quand l'orage éclatera sur vous,
Ne doutez point du bras dont partiront les coups.

FÉLIX

Arrêtez-vous, seigneur, et d'une âme apaisée
Souffrez que je vous livre une vengeance aisée.
1765 Ne me reprochez plus que par mes cruautés
Je tâche à conserver mes tristes dignités :
Je dépose à vos pieds l'éclat de leur faux lustre.
Celle où j'ose aspirer est d'un rang plus illustre;
Je m'y trouve forcé par un secret appas,
1770 Je cède à des transports que je ne connais pas;
Et par un mouvement que je ne puis entendre,
De ma fureur je passe au zèle de mon gendre.
C'est lui, n'en doutez point, dont le sang innocent
Pour son persécuteur prie un Dieu tout-puissant;

---

1. *Tristes* : funestes et médiocres (nuance péjorative).

138

1775 Son amour épandu sur toute la famille
Tire après lui le père aussi bien que la fille.
J'en ai fait un martyr, sa mort me fait chrétien :
J'ai fait tout son bonheur, il veut faire le mien.
C'est ainsi qu'un chrétien se venge et se courrouce.
1780 Heureuse cruauté dont la suite est si douce !
Donne la main, Pauline. Apportez des liens :
Immolez à vos dieux ces deux nouveaux chrétiens :
Je le suis, elle l'est, suivez votre colère.

PAULINE

Qu'heureusement enfin je retrouve mon père !
1785 Cet heureux changement rend mon bonheur parfait.

FÉLIX

Ma fille, il n'appartient qu'à la main qui le fait.

SÉVÈRE

Qui ne serait touché d'un si tendre spectacle ?
De pareils changements ne vont point sans miracle.
Sans doute vos chrétiens, qu'on persécute en vain,
1790 Ont quelque chose en eux qui surpasse l'humain :
Ils mènent une vie avec tant d'innocence
Que le ciel leur en doit quelque reconnaissance :
Se relever plus forts, plus ils sont abattus,
N'est pas aussi[1] l'effet des communes vertus.
1795 Je les aimai toujours, quoi qu'on m'en ait pu dire ;
Je n'en vois point mourir que mon cœur n'en soupire ;
Et peut-être qu'un jour je les connaîtrai mieux.
J'approuve cependant que chacun ait ses dieux,
Qu'il les serve à sa mode, et sans peur de la peine[2].
1800 Si vous êtes chrétien, ne craignez plus ma haine ;
Je les aime, Félix, et de leur protecteur
Je n'en veux pas sur vous faire un persécuteur.
Gardez votre pouvoir, reprenez-en la marque ;

---

1. *Aussi* : non plus.
2. *Sans peur de la peine* : sans craindre d'être châtié.

Gardez votre pouvoir, reprenez-en la marque ;
1805 Je perdrai mon crédit envers Sa Majesté,
Ou vous verrez finir cette sévérité :
Par cette injuste haine il se fait trop d'outrage[1].

FÉLIX

Daigne le ciel en vous achever son ouvrage,
1810 Et pour vous rendre un jour ce que vous méritez
Vous inspirer bientôt toutes ses vérités !
Nous autres, bénissons notre heureuse aventure[2] :
Allons à nos martyrs donner la sépulture,
Baiser leurs corps sacrés, les mettre en digne lieu,
Et faire retentir partout le nom de Dieu.

D. D. Petrus Corneille

---

1. *Il se fait trop d'outrage* : il se fait du tort.
2. *Heureuse aventure* : chance.

Acte V Scènes 5 et 6

LA CONVERSION DE PAULINE

1. Comment, à la seule lecture du vers 1719, le spectateur comprend-il qu'un changement radical s'est produit en Pauline ? Ce passage au tutoiement s'est-il déjà produit ? À quel moment y a-t-il dans son langage des intonations qui rappellent Polyeucte, en particulier des traces de rébellion et un ton de provocation ? Relevez les similarités.

2. Pourquoi, à votre avis, Corneille ne donne-t-il pas la parole à Félix dans la scène 5 ?

LA RÉUNIFICATION FINALE

3. En quoi les imprécations de Sévère à l'ouverture de la scène 6 constituent-elles un jugement global sur Félix ? Sévère, dans cette scène n'a-t-il pas « la vengeance à la main », comme l'avait prédit le songe de Pauline, mais dans des circonstances différentes ? La colère de Sévère est-elle justifiée ? Pourquoi ?

4. La conversion de Félix apparaît comme un coup de théâtre encore plus inattendu que celle de Pauline, pourquoi ? D'où provient cette grâce ? Félix en est-il activement responsable ou simplement bénéficiaire ? Justifiez votre point de vue.

5. La dernière réplique de Sévère constitue-t-elle un nouveau coup de théâtre ou a-t-elle été préparée auparavant par Corneille ? Relevez dans l'acte IV les vers qui annoncent la position de Sévère.

Ensemble de l'acte V

L'ASCENSION COLLECTIVE

1. Montrez, à travers toutes les scènes, le mouvement ascendant qui organise le cinquième acte. Dans cette perspective, la scène 6 ne constitue-t-elle pas une sorte d'apothéose de Polyeucte et, à travers lui, du christianisme ?

QUESTIONS DE VRAISEMBLANCE

2. Peut-on reprocher à Corneille un certain manque de vraisemblance dans la scène finale ? Sévère se révèle comme protecteur des chrétiens mais ne se convertit pas. Pourquoi ? N'y a-t-il pas là une raison politique tout à fait plausible ? Laquelle ?

POUVOIR ET RELIGION

3. La conversion de Félix établit un lien entre le politique et le religieux : en quoi est-elle indispensable ?
Relisez l'Épître à la reine régente (voir p. 24) : est-il possible de lier *Polyeucte* à la période à laquelle la pièce a été présentée ?

Examen[1]

Ce martyre est rapporté par Surius sur le 9ᵉ de janvier. Polyeucte
vivait en l'année 250, sous l'empereur Décius. Il était Arménien,
ami de Néarque, et gendre de Félix, qui avait la commission de
l'empereur pour faire exécuter ses édits contre les chrétiens. Cet
ami l'ayant résolu à se faire chrétien, il déchira ces édits qu'on
publiait, arracha les idoles des mains de ceux qui les portaient
sur les autels pour les adorer, les brisa contre terre, résista aux
larmes de sa femme Pauline, que Félix employa auprès de lui
pour le ramener à leur culte, et perdit la vie par l'ordre de son
beau-père, sans autre baptême que celui de son sang. Voilà ce
que m'a prêté l'histoire; le reste est de mon invention.

Pour donner plus de dignité à l'action, j'ai fait Félix gouverneur
d'Arménie et ai pratiqué un sacrifice public, afin de rendre
l'occasion plus illustre et donner un prétexte à Sévère de venir en
cette province, sans faire éclater son amour avant qu'il en eût
l'aveu de Pauline. Ceux qui veulent arrêter nos héros dans une
médiocre bonté, où quelques interprètes d'Aristote[2] bornent leur
vertu, ne trouveront pas ici leur compte, puisque celle de
Polyeucte va jusqu'à la sainteté et n'a aucun mélange de
faiblesse. J'en ai déjà parlé ailleurs[3], et pour confirmer ce que j'en
ai dit par quelques autorités, j'ajouterai ici que Minturnus[4], dans

---

1. Les examens que Corneille a écrits sur chacune de ses pièces ont été publiés
pour la première fois dans l'édition du théâtre de Corneille, revue par l'auteur, en
1660.
2. Dans sa *Poétique*, Aristote explique que la tragédie ne peut provoquer crainte
et pitié que si elle frappe un héros qui ne serait ni trop bon ni foncièrement
mauvais. Le sujet tragique par excellence devrait donc occuper une position
intermédiaire.
3. Dans le *Discours sur la tragédie*, publié en 1660 avec l'édition complète,
Corneille remarque : « L'exclusion des personnes tout à fait vertueuses qui
tombent dans le malheur bannit les martyrs de notre théâtre. Polyeucte y a réussi
contre cette maxime... »
4. *Minturnus* : érudit vénitien. Il a écrit un *Traité du poète* en 1559.

25 son *Traité du poète,* agite cette question « si la Passion de
Jésus-Christ et les martyres des saints doivent être exclus du
théâtre, à cause qu'ils passent cette médiocre bonté » et résout en
ma faveur. Le célèbre Heinsius[1], qui non seulement a traduit la
Poétique de notre philosophe, mais a fait un *Traité de la constitution*
30 *de la tragédie,* selon sa pensée, nous en a donné une sur le martyre
des Innocents. L'illustre Grotius[2] a mis sur la scène la Passion
même de Jésus-Christ et l'histoire de Joseph, et le savant
Buchanan[3] a fait la même chose de celle de Jephté et de la mort
de saint Jean-Baptiste. C'est sur ces exemples que j'ai hasardé ce
35 poème, où je me suis donné des licences, qu'ils n'ont pas prises,
de changer l'histoire en quelque chose et d'y mêler des épisodes
d'invention; aussi m'était-il plus permis sur cette matière qu'à
eux sur celle qu'ils ont choisie. Nous ne devons qu'une croyance
pieuse à la vie des saints, et nous avons le même droit sur ce que
40 nous en tirons pour le porter sur le théâtre que sur ce que nous
empruntons des autres histoires; mais nous devons une foi
chrétienne et indispensable à tout ce qui est dans la Bible, qui ne
nous laisse aucune liberté d'y rien changer. J'estime toutefois
qu'il ne nous est pas défendu d'y ajouter quelque chose, pourvu
45 qu'il[4] ne détruise rien de ces vérités dictées par le Saint-Esprit.
Buchanan ni Grotius ne l'ont pas fait dans leurs poèmes; mais
aussi ne les ont-ils pas rendus assez fournis pour notre théâtre, et
ne s'y sont proposé pour exemple que la constitution la plus
simple des anciens. Heinsius a plus osé qu'eux dans celui que j'ai
50 nommé : les anges qui bercent l'enfant Jésus, et l'ombre de
Mariane avec les furies qui agitent l'esprit d'Hérode, sont des
agréments[5] qu'il n'a pas trouvés dans l'Évangile. Je crois même

---

1. *Heinsius* : érudit et poète flamand. Son traité, *De constitutione tragica secundum Aristotelem,* date de 1611.
2. *Grotius :* Hugo de Groot, humaniste et juriste hollandais (1583-1645). Il publia trois tragédies latines, dont le *Sauveur du monde* (vie de Joseph).
3. *Buchanan :* humaniste et poète écossais (1506-1582), auteur de deux tragédies, *Jephté* et *Saint Jean-Baptiste.*
4. *Pourvu qu'il :* pourvu que cela.
5. *Agréments :* ornements, embellissements.

qu'on en peut supprimer quelque chose, quand il y a apparence
qu'il ne plairait pas sur le théâtre, pourvu qu'on ne mette rien en
55 la place ; car alors ce serait changer l'histoire, ce que le respect
que nous devons à l'Écriture ne permet point. Si j'avais à y
exposer celle de David et de Bethsabée, je ne décrirais pas
comme il en devint amoureux en la voyant se baigner dans une
fontaine, de peur que l'image de cette nudité ne fît une
60 impression trop chatouilleuse dans l'esprit de l'auditeur ; mais je
me contenterais de le peindre avec de l'amour pour elle, sans
parler aucunement de quelle manière cet amour se serait emparé
de son cœur.

Je reviens à *Polyeucte,* dont le succès a été très heureux. Le style
65 n'en est pas si fort ni si majestueux que celui de *Cinna* et de
Pompée, mais il y a quelque chose de plus touchant, et les
tendresses de l'amour humain y font un si agréable mélange avec
la fermeté du divin que sa représentation a satisfait tout
ensemble les dévots et les gens du monde. À mon gré, je n'ai
70 point fait de pièce où l'ordre du théâtre soit plus beau et
l'enchaînement des scènes mieux ménagé. L'unité d'action, et
celle de jour et de lieu, y ont leur justesse[1], et les scrupules qui
peuvent naître touchant ces dernières se dissiperont
aisément, pour peu qu'on me veuille prêter de cette faveur que
75 l'auditeur nous doit toujours, quand l'occasion s'en offre, en
reconnaissance de la peine que nous avons prise à le divertir.

Il est hors de doute que si nous appliquons ce poème à nos
coutumes, le sacrifice se fait trop tôt après la venue de Sévère, et
cette précipitation sortira du vraisemblable par la nécessité
80 d'obéir à la règle. Quand le roi envoie ses ordres dans les villes
pour y faire rendre des actions de grâces pour ses victoires, ou
pour d'autres bénédictions qu'il reçoit du ciel, on ne les exécute
pas dès le jour même ; mais aussi il faut du temps pour assembler
le clergé, les magistrats et les corps de ville, et c'est ce qui en fait
85 différer l'exécution. Nos acteurs n'avaient ici aucune de ces
assemblées à faire.

---

1. *Y ont leur justesse :* y sont fidèlement observées.

Il suffisait de la présence de Sévère et de Félix, et du ministère du grand prêtre ; ainsi nous n'avons eu aucun besoin de remettre ce sacrifice en un autre jour. D'ailleurs, comme Félix craignait ce
90 favori, qu'il croyait irrité du mariage de sa fille, il était bien aise de lui donner le moins d'occasion de tarder qu'il lui était possible, et de tâcher, durant son peu de séjour, à gagner son esprit par une prompte complaisance, et montrer tout ensemble une impatience d'obéir aux volontés de l'empereur.
95 L'autre scrupule regarde l'unité de lieu, qui est assez exacte, puisque tout s'y passe dans une salle ou antichambre commune aux appartements de Félix et de sa fille. Il semble que la bienséance y soit un peu forcée pour conserver cette unité au second acte, en ce que Pauline vient jusque dans cette anti-
100 chambre pour trouver Sévère, dont elle devrait attendre la visite dans son cabinet[1]. À quoi je réponds qu'elle a eu deux raisons de venir au-devant de lui : l'une, pour faire plus d'honneur à un homme dont son père redoutait l'indignation, et qu'il lui avait commandé d'adoucir en sa faveur ; l'autre, pour rompre aisément
105 la conversation avec lui, en se retirant dans ce cabinet, s'il ne voulait pas la quitter à sa prière, et se délivrer, par cette retraite, d'un entretien dangereux pour elle, ce qu'elle n'eût pu faire, si elle eût reçu sa visite dans son appartement.
Sa confidence avec Stratonice, touchant l'amour qu'elle avait
110 eu pour ce cavalier, me fait faire une réflexion sur le temps qu'elle prend[2] pour cela. Il s'en[3] fait beaucoup sur nos théâtres, d'affections qui ont déjà duré deux ou trois ans, dont on attend à[4] révéler le secret justement au jour de l'action qui se présente, et non seulement sans aucune raison de choisir ce jour-là plutôt
115 qu'un autre pour le déclarer, mais lors même que vraisemblable-ment on s'en est dû ouvrir beaucoup auparavant avec la personne à qui on en fait confidence. Ce sont choses dont il faut instruire le spectateur en les faisant apprendre par un des acteurs

---

1. *Cabinet* : pièce où l'on se retire pour travailler ou pour converser.
2. *Le temps qu'elle prend* : le moment qu'elle choisit.
3. *En* : des confidences.
4. *À* : pour.

à l'autre; mais il faut prendre garde avec soin que celui à qui on
120 les apprend ait eu lieu de les ignorer jusque-là aussi bien que le
spectateur, et que quelque occasion tirée du sujet oblige celui qui
les récite à rompre enfin un silence qu'il a gardé si longtemps.
L'Infante, dans *le Cid,* avoue à Léonor l'amour secret qu'elle a
pour lui, et l'aurait pu faire un an ou six mois plus tôt. Cléopâtre,
125 dans *Pompée*[1] ne prend pas des mesures plus justes avec
Charmion; elle lui conte la passion de César pour elle, et
comme[2]

> Chaque jour ses courriers
> Lui portent en tribut ses vœux et ses lauriers[3].

130 Cependant comme il ne paraît personne avec qui elle ait plus
d'ouverture de cœur qu'avec cette Charmion, il y a grande
apparence que c'était elle-même dont cette reine se servait pour
introduire ces courriers, et qu'ainsi elle devait savoir déjà tout ce
commerce entre César et sa maîtresse. Du moins il fallait
135 marquer quelque raison qui lui eût laissé ignorer jusque-là tout
ce qu'elle lui apprend, et de quel autre ministère cette princesse
s'était servie pour recevoir ces courriers. Il n'en va pas de même
ici. Pauline ne s'ouvre avec Stratonice que pour lui faire entendre
le songe qui la trouble, et les sujets qu'elle a de s'en alarmer, et
140 comme elle n'a fait ce songe que la nuit d'auparavant, et qu'elle
ne lui eût jamais révélé son secret sans cette occasion qui l'y
oblige, on peut dire qu'elle n'a point eu lieu de lui faire cette
confidence plus tôt qu'elle ne l'a faite.
    Je n'ai point fait de narration de la mort de Polyeucte, parce
145 que je n'avais personne pour la faire ni pour l'écouter que des
païens qui ne la pouvaient ni écouter ni faire que comme ils
avaient fait et écouté celle de Néarque, ce qui aurait été une
répétition et marque de stérilité, et en outre n'aurait pas répondu
à la dignité de l'action principale, qui est terminée par là. Ainsi
150 j'ai mieux aimé la faire connaître par un saint emportement

---

1. *La Mort de Pompée* (1643).
2. *Comme :* comment.
3. *La Mort de Pompée,* acte II, sc. 1, vers 391-392.

155 de Pauline[1], que cette mort a convertie, que par un récit qui n'eût
point eu de grâce dans une bouche indigne de le prononcer. Félix
son père se convertit après elle, et ces deux conversions, quoique
miraculeuses, sont si ordinaires dans les martyres qu'elles ne
sortent point de la vraisemblance, parce qu'elles ne sont pas de
160 ces événements rares et singuliers qu'on ne peut tirer en
exemple ; et elles servent à remettre le calme dans les esprits de
Félix, de Sévère et de Pauline, que sans cela j'aurais eu bien de la
peine à retirer du théâtre dans un état qui rendît la pièce
complète, en ne laissant rien à souhaiter à la curiosité de
165 l'auditeur.

---

1. Voir sa tirade de l'acte V, sc. 5.

Documentation thématique

Index des principaux thèmes de l'œuvre

Amour : v. 10, v. 69, v. 87, v. 195 à 198, v. 339 à 349, v. 398 à 402, v. 424 à 430, v. 497 à 512, v. 616, v. 623 et 624, v. 965 à 976, v. 1259 à 1266, v. 1279 à 1282, v. 1327 à 1332.

Devoir : v. 215 et 216, v. 332, v. 446 et 447, v. 471 à 478, v. 538 et 539, v. 570, v. 790, v. 793 à 798, v. 1406.

Gloire : v. 551 à 554, v. 1356 à 1362, v. 1391 à 1394, v. 1405 à 1410.

Grâce divine : v. 25 à 40, v. 693 à 704, v. 1225 à 1234, v. 1275 à 1278, v. 1553 à 1556, v. 1724 à 1746, v. 1770 à 1783, v. 1787 à 1790.

Mort /Mourir : v. 239 et 240, v. 262, v. 643 et 644, v. 655, v. 661 et 662, v. 665, v. 879 à 884, v. 945 à 953, v. 957 et 958, v. 1139, v. 1151, v. 1211 à 1214, v. 1679 à 1684, v. 1744, v. 1782.

Opposition hommes/femmes : v. 1 à 24, v. 95 à 106, v. 115 et 116, v. 129 à 156, v. 1143 et 1144, v. 1235 à 1253, v. 1377 à 1382.

Politique : v. 918 à 921, v. 925 et 926, v. 930, v. 932, v. 1032, v. 1050 à 1056, v. 1080, v. 1459 à 1482, v. 1493 à 1509, v. 1558 à 1561, v. 1685 à 1689, v. 1699 à 1702, v. 1730 et 1731, v. 1747 à 1762, v. 1803 à 1807.

Rapport à la vie : v. 670 à 673, v. 993 et 994, v. 1105 à 1114, v. 1140, v. 1183 à 1198, v. 1231, v. 1288, v. 1290, v. 1512 à 1517.

Religion(s) : v. 66 à 84, v. 254 à 264, v. 684 à 692, v. 840 à 851, v. 1264 à 1268, v. 1412 à 1443, v. 1656 à 1662, v. 1789 à 1794.

Tolérance : v. 441 à 452, v. 1412 et 1413, v. 1798 et 1799.

Vertu : v. 165 à 169, v. 346 à 359, v. 409 à 412, v. 517 à 522, v. 527 à 538, v. 612 à 626, v. 734, v. 750 à 755, v. 1354 à 1358, v. 1722, v. 1793 et 1794.

Zèle : 643 à 683, v. 705 à 720, v. 852 à 859, v. 1157, v. 1533 à 1540, v. 1551, v. 1670 à 1673, v. 1772.

Mourir pour des idées : la quête d'une liberté absolue ?

L'individu qui choisit de mourir pour ses idées affirme et réalise par ce geste une exigence d'absolu. Les tragédies grecques fournissent déjà des exemples de cette thématique qui traversera les siècles et dont les variantes concernent tant les raisons invoquées pour justifier la mort que l'attitude du héros face à celle-ci : la choisit-il, va-t-il à ses devants, la subit-il ? Quant aux motifs qui lui dictent de mourir, ils peuvent relever du domaine religieux, politique ou social, être liés à un code de l'honneur, au code familial, etc.

Mais la richesse de la notion réside surtout dans la problématique d'ordre existentiel et moral qu'elle soulève : quel est le poids de la vie ou, en d'autres termes, vaut-il mieux vivre en renonçant à certaines idées ou mourir pour s'assurer de leur survie ? À quel moment la vie bascule-t-elle dans l'inacceptable ? Comment cependant interpréter une mort qui semble relever de la fidélité à un idéal mais qui masque avec peine une fatigue de vivre et un désir de fuite de la part de l'individu ?

En Polyeucte se mêlent ainsi le désir de mourir et la conviction de vivre un destin exemplaire qui ne peut être expliqué et communiqué à d'autres. Sa décision (mourir pour sa foi) implique en effet une mise à distance puis un arrachement du monde qui le conduisent à un sentiment de solitude absolue. En s'élevant contre la communauté, Polyeucte se ferme à la discussion : aucun argument, dès lors, n'est capable de le retenir. On retrouve dans la forme dialoguée de deux des textes suivants cette distance que le héros dresse entre les autres et lui, comme s'il savait qu'entendre serait comprendre, et donc renoncer.

Antigone, ou la mort
contre la médiocrité

Jean Anouilh a repris, en la modifiant, la pièce du poète grec Sophocle (495-406 av. J.-C.). En 1944, il présente *Antigone* dont il fait un personnage révolté contre l'autorité mais surtout une adolescente qui, ne pouvant se résoudre à accepter ce qu'elle considère comme une vie médiocre, préférera la mort à toute compromission.

Antigone a enterré son frère Polynice contre l'ordre du roi Créon, son oncle, qui punira de mort quiconque donnera une sépulture à Polynice. Créon veut pourtant sauver Antigone (cette attitude constitue la différence majeure avec le texte classique) et il s'acharne à lui prouver la futilité et l'absurdité de son geste.

ANTIGONE.   Oui, c'est absurde.
CRÉON.   Pourquoi fais-tu ce geste, alors ? Pour les autres, pour ceux qui y croient ? Pour les dresser contre moi ?
ANTIGONE.   Non.
CRÉON.   Ni pour les autres, ni pour ton frère ? Pour qui alors ?
ANTIGONE.   Pour personne. Pour moi.
CRÉON *la regarde en silence.*   Tu as donc bien envie de mourir ? Tu as déjà l'air d'un petit gibier pris.

Créon parvient à convaincre Antigone : son frère ne mérite pas qu'elle meure pour lui. Seule compte la vie, « petite chose dure et simple qu'on grignote, assis au soleil ». Mais cette évocation du bonheur détruit d'un coup tous les arguments de Créon et rejette Antigone dans son désir de mourir.

ANTIGONE *murmure, le regard perdu.*   Le bonheur...
CRÉON *a un peu honte soudain.*   Un pauvre mot, hein ?
ANTIGONE, *doucement.*   Quel sera-t-il mon bonheur ? Quelle femme heureuse deviendra-t-elle, la petite Antigone ? Quelles pauvretés faudra-t-il qu'elle fasse elle aussi, jour par jour, pour arracher avec ses dents un petit lambeau de bonheur ? Dites, à qui devra-t-elle mentir, à qui

sourire, à qui se vendre ? Qui devra-t-elle laisser mourir en détournant le regard ?

CRÉON *hausse les épaules.*   Tu es folle, tais-toi.

ANTIGONE.   Pourquoi veux-tu me faire taire ? Parce que tu sais que j'ai raison ? Tu crois que je ne lis pas dans tes yeux que tu le sais ? Tu sais que j'ai raison, mais tu ne l'avoueras jamais parce que tu es en train de défendre ton bonheur en ce moment comme un os.

CRÉON.   Le tien et le mien, oui, imbécile !

ANTIGONE.   Vous me dégoûtez tous avec votre bonheur ! Avec votre vie qu'il faut aimer coûte que coûte. On dirait des chiens qui lèchent tout ce qu'ils trouvent. Et cette petite chance pour tous les jours, si on n'est pas trop exigeant. Moi, je veux tout, tout de suite — et que ce soit entier — ou alors je refuse ! Je ne veux pas être modeste, moi, et me contenter d'un petit morceau si j'ai été bien sage. Je veux être sûre de tout aujourd'hui et que cela soit aussi beau que quand j'étais petite — ou mourir.

[Créon finit par céder et ordonne la mort d'Antigone.]

CRÉON.   C'est elle qui voulait mourir. Aucun de nous n'était assez fort pour la décider à vivre. Je le comprends maintenant. Antigone était faite pour être morte. Elle-même ne le savait peut-être pas, mais Polynice n'était qu'un prétexte. Quand elle a dû y renoncer, elle a trouvé autre chose tout de suite. Ce qui importait pour elle, c'était de refuser et de mourir.

Jean Anouilh, Antigone, La Table Ronde, 1946.

Avant de mourir dans un dernier moment de lucidité, Antigone déclare : « Et Créon avait raison, c'est terrible, maintenant..., je ne sais plus pourquoi je meurs... Je le comprends seulement maintenant combien c'était simple de vivre... »

Julien Sorel, victime de la société

D'une certaine manière, c'est aussi le refus de la médiocrité qui est à l'origine de la mort de Julien Sorel dans *le Rouge et le Noir* (roman publié par Stendhal en 1830). Le héros, pauvre mais ambitieux, cherche par tous les moyens à faire carrière. D'abord précepteur (instituteur à domicile) dans une famille de la petite aristocratie provinciale, les Rênal, il a une liaison avec Mme de

Rênal. Il cherchera ensuite à réussir dans les armes (le rouge) puis dans le clergé (le noir). Pour finir, il trouvera le succès à travers les femmes. Jalouse et poussée par son confesseur, Mme de Rênal dénonce les manœuvres de Julien ; furieux, il tente de la tuer et la blesse d'un coup de pistolet. À la fin de son procès, il prononce un violent réquisitoire contre la société, conscient que son crime lui fait encourir la peine capitale et que ce discours ne sert qu'à aggraver son cas. Il sera en effet condamné à mort et exécuté. Ainsi Julien se laisse-t-il tuer plutôt que de pactiser avec une société qui ne donne pas sa chance à tous.

Voilà le dernier de mes jours qui commence, pensa Julien. Bientôt il se sentit enflammé par l'idée du devoir. Il avait dominé jusque-là son attendrissement et gardé sa résolution de ne point parler ; mais quand le président des assises lui demanda s'il avait quelque chose à ajouter, il se leva. Il voyait devant lui les yeux de madame Derville qui, aux lumières, lui semblèrent bien brillants. Pleurerait-elle, par hasard ? pensa-t-il.

« Messieurs les jurés,
L'horreur du mépris, que je croyais pouvoir braver au moment de la mort, me fait prendre la parole. Messieurs, je n'ai point l'honneur d'appartenir à votre classe, vous voyez en moi un paysan qui s'est révolté contre la bassesse de sa fortune.

Je ne vous demande aucune grâce, continua Julien en affermissant sa voix. Je ne me fais point d'illusion, la mort m'attend : elle sera juste. J'ai pu attenter aux jours de la femme la plus digne de tous les respects, de tous les hommages. Madame de Rênal avait été pour moi comme une mère. Mon crime est atroce, et il fut *prémédité*. J'ai donc mérité la mort, messieurs les jurés. Mais quand je serais moins coupable, je vois des hommes qui, sans s'arrêter à ce que ma jeunesse peut mériter de pitié, voudront punir en moi et décourager à jamais cette classe de jeunes gens qui, nés dans une classe inférieure et en quelque sorte opprimés par la pauvreté, ont le bonheur de se procurer une bonne éducation, et l'audace de se mêler à ce que l'orgueil des gens riches appelle la société.

Voilà mon crime, messieurs, et il sera puni avec d'autant plus de sévérité, que, dans le fait, je ne suis point jugé par mes pairs. Je ne vois point sur les bancs des jurés quelque paysan enrichi, mais uniquement des bourgeois indignés... »

155

Pendant vingt minutes, Julien parla sur ce ton ; il dit tout ce qu'il avait sur le cœur ; l'avocat général, qui aspirait aux faveurs de l'aristocratie, bondissait sur son siège ; mais malgré le tour un peu abstrait que Julien avait donné à la discussion, toutes les femmes fondaient en larmes.

Stendhal, *le Rouge et le Noir*, 1830.

Un idéal de pureté

L'action des *Mains sales* (1948) se situe dans un cadre révolutionnaire. Hugo, l'un des personnages principaux de cette pièce de Jean-Paul Sartre, est assoiffé d'engagement et de pureté. On retrouve en lui l'idéalisme naïf d'Antigone ainsi que son impossible passage à l'âge adulte. Hugo, militant révolutionnaire, sort de prison et retrouve Olga, une camarade. Le Parti, voulant se débarrasser d'un de ses dirigeants (Hoederer), charge Hugo de le tuer. Engagé comme secrétaire de celui-ci, Hugo tarde cependant à accomplir sa mission et Hoederer, instruit de ses intentions, parvient à gagner sa confiance. Mais, surprenant un baiser échangé entre sa femme Jessica et Hoederer, Hugo se croit trahi et il tire. Crime passionnel ou crime politique ? C'est ce que Olga s'acharne à découvrir. En effet, la ligne du parti a changé et Hoederer est maintenant considéré comme un héros : si le crime de Hugo est passionnel, il pourra réintégrer le parti, sinon la mort l'attend.

OLGA. Tu ne vas pas te laisser tuer comme un chien. Tu ne vas pas accepter de mourir pour rien ! Nous te ferons confiance, Hugo. Tu verras, tu seras pour de bon notre camarade, tu as fait tes preuves...
Une auto. Bruit de moteur. [...]
HUGO. Pas de grands mots, Olga. Il y a eu trop de grands mots dans cette histoire et ils ont fait beaucoup de mal. *(L'auto passe.)* Ce n'est pas leur voiture. J'ai le temps de t'expliquer. Écoute : je ne sais pas pourquoi j'ai tué Hoederer mais je sais pourquoi j'aurais dû le tuer : parce qu'il faisait de mauvaise politique, parce qu'il mentait à ses camarades et parce qu'il risquait de pourrir le Parti. Si j'avais eu le courage de tirer quand j'étais

seul avec lui dans le bureau, il serait mort à cause de cela et je pourrais penser à moi sans honte. J'ai honte de moi parce que je l'ai tué... après. Et vous, vous me demandez d'avoir encore plus honte et de décider que je l'ai tué pour rien. Olga, ce que je pensais sur la politique d'Hoederer je continue à le penser. Quand j'étais en prison, je croyais que vous étiez d'accord avec moi et ça me soutenait; je sais à présent que je suis seul de mon opinion mais je ne changerai pas d'avis.

Bruit de moteur.

OLGA. Cette fois les voilà. Écoute, je ne peux pas... prends ce revolver, sors par la porte de ma chambre et tente ta chance.

HUGO, *sans prendre le revolver.* Vous avez fait d'Hoederer un grand homme. Mais je l'ai aimé plus que vous ne l'aimerez jamais. Si je reniais mon acte, il deviendrait un cadavre anonyme, un déchet du Parti. *(L'auto s'arrête.)* Tué par hasard. Tué pour une femme.

OLGA. Va-t'en.

HUGO. Un type comme Hoederer ne meurt pas par hasard. Il meurt pour ses idées, pour sa politique; il est responsable de sa mort. Si je revendique mon crime devant tous, si je réclame mon nom de Raskolnikoff et si j'accepte de payer le prix qu'il faut, alors il aura eu la mort qui lui convient.

On frappe à la porte.

OLGA. Hugo, je...

HUGO, *marchant vers la porte.* Je n'ai pas encore tué Hoederer, Olga. Pas encore. C'est à présent que je vais le tuer et moi avec.

On frappe de nouveau.

OLGA, *criant.* Allez-vous-en! Allez-vous-en!

Hugo ouvre la porte d'un coup de pied.

HUGO, *il crie.* Non récupérable.

Rideau.

Jean-Paul Sartre, *les Mains sales*, Gallimard, 1948.

Quel sens donner au geste final de Hugo ? L'appropriation tardive de son acte, qu'il réalise à la fin de la pièce, signifie la mort. Certes, Hugo reste pur mais c'est au prix de sa vie. La mort demeure ce lieu sans tensions auquel il aspirait; tel Antigone, Hugo ne peut faire face au compromis.

La révolution comme destin

Malraux (1901-1976) prône l'insubordination : la lutte seule peut donner sens à la vie de l'individu et lui faire regagner sa dignité. Dans *la Condition humaine,* l'auteur retrace le destin d'un groupe de militants chinois pris dans l'insurrection de Shanghai en 1927. Les personnages incarnent diverses attitudes face à la révolution : Tchen se sacrifiera dans le meurtre et Kyo donnera sa vie pour une cause. Emprisonné, ce dernier attend une mort certaine. Toutefois, à la différence d'Antigone et de Hugo, il ne la choisit pas, il l'accepte. Il meurt en effet « pour avoir donné un sens à sa vie », et non pour lui donner un sens.

Il aurait combattu pour ce qui, de son temps, aurait été chargé du sens le plus fort et du plus grand espoir ; il mourrait parmi ceux avec qui il aurait voulu vivre ; il mourrait, comme chacun de ces hommes couchés, pour avoir donné un sens à sa vie. Qu'eût valu une vie pour laquelle il n'eût pas accepté de mourir ? Il est facile de mourir quand on ne meurt pas seul. Mort saturée de ce chevrotement fraternel, assemblée de vaincus où des multitudes reconnaîtraient leurs martyrs, légende sanglante dont se font les légendes dorées ! Comment, déjà regardé par la mort, ne pas entendre ce murmure de sacrifice humain qui lui criait que le cœur viril des hommes est un refuge à morts qui vaut bien l'esprit ?

Il tenait maintenant le cyanure dans sa main. Il s'était souvent demandé s'il mourrait facilement. Il savait que, s'il décidait de se tuer, il se tuerait ; mais, connaissant la sauvage indifférence avec quoi la vie nous démasque à nous-mêmes, il n'avait pas été sans inquiétude sur l'instant où sa mort écraserait sa pensée de toute sa pesée sans retour.

Non, mourir pouvait être un acte exalté, la suprême expression d'une vie à quoi cette mort ressemblait tant : et c'était échapper à ces deux soldats qui s'approchaient en hésitant.

André Malraux, *la Condition humaine,* Gallimard, 1946.

Trouver son « acte » sans trouver la mort

Polyeucte, Antigone et Hugo ont ainsi trouvé leur accomplissement et leur liberté dans la mort. Julien Sorel et Kyo ont payé de leur vie leur détermination et leurs convictions. Mais qu'est donc un acte de liberté absolue qui ne peut trouver son expression que dans la négation de la vie ? L'exercice de sa propre liberté ne peut-il trouver une autre issue ?

Dans *les Mouches* (pièce écrite par Jean-Paul Sartre en 1942 et, comme Antigone d'Anouilh, s'inspirant d'un texte de l'Antiquité grecque), Oreste se refuse à considérer la mort comme une solution. En tuant sa mère Clytemnestre et son beau-père Égisthe, il a délivré sa ville (Argos) du fléau qui l'accablait (les mouches). Pourtant tous attendent de lui le remords et le peuple réclame sa mort pour avoir commis ce parricide. Mais Oreste assume pleinement la responsabilité de son geste ; il sait que le poids en est lourd mais que c'est cet acte qui le constitue en tant qu'individu libre. Électre, sa sœur, reniera en revanche son acte et trouvera une mort symbolique dans le remords et la folie. La confrontation finale d'Oreste avec la foule constitue un défi à la mort et un refus. Même si les derniers mots du texte laissent présager du destin douloureux d'Oreste (les Érinyes, déesses du Remords, se jettent à sa poursuite), il n'en reste pas moins qu'Oreste témoigne pour la vie.

Mourir pour des idées...
« d'accord, mais de mort lente »

Comme en témoigne le refrain de sa chanson *Mourir pour des idées* (« Mourons pour des idées, d'accord, mais de mort lente »), Georges Brassens (1921-1981) traite le thème avec humour. Cette apparente dérision ne masque toutefois pas le sérieux de son propos.

Au-delà du rire ou du sourire qui suivent la première écoute, Brassens pose des questions qui sont trop souvent éludées. Quelques couplets lui suffisent pour montrer le caractère excessif de cette attitude (sacrifier sa vie à une cause) et surtout, mettre en doute son efficacité.

Encor s'il suffisait de quelques hécatombes
Pour qu'enfin tout changeât, qu'enfin tout s'arrangeât !
Depuis tant de « grands soirs » que tant de têtes tombent,

Au paradis sur terre on y serait déjà.
Mais l'âge d'or sans cesse est remis aux calendes,
Les dieux ont toujours soif, n'en ont jamais assez,
Et c'est la mort, la mort toujours recommencée...

Georges Brassens, *Mourir pour des idées*, Phonogram, 1972.

Polyeucte quant à lui meurt pour une idée qui semble en passe de devenir acceptée (comme le suggère l'attitude de Sévère à l'égard des chrétiens dés l'acte IV) : si l'on met temporairement de côté les autres raisons de son sacrifice, sa mort n'apparaît-elle pas inutile ? Par ailleurs, Georges Brassens évoque le problème de la temporalité des idées et de la valeur de celles-ci. Comment s'assurer en effet que l'on meurt au bon moment pour une idée valable ? Avec ironie, il constate aussi que ceux qui réclament à grands cris le sacrifice... des autres... sont ceux-là mêmes qui restent en vie le plus longtemps.

Ô vous, les boutefeux, ô vous, les bons apôtres,
Mourez donc les premiers, nous vous cédons le pas.
Mais, de grâce, morbleu ! laissez vivre les autres !

Est-il bien nécessaire d'offrir avec un tel fanatisme ce qui ne manquera pas, de toute façon, de nous être ôté ? Sans jamais nier la légitimité du don de soi, le texte de Georges Brassens soulève certains problèmes trop rarement abordés. Naïveté et manipulation sont deux des écueils à éviter; mourir pour des idées, certes, mais avec prudence...

Et si « trouver son acte » ce n'était pas, d'abord, accepter de vivre ?

Annexes

Sources de l'œuvre

Corneille fait suivre l'Épître à la reine régente de l' « Abrégé du martyre de saint Polyeucte écrit par Siméon Métaphraste et rapporté par Surius » dans un ouvrage publié en 1570. À cette source, il a ajouté ce que lui-même appelle « des inventions et des embellissements » dont il dresse la liste à la fin de l'Abrégé. Il semble que certaines de ces innovations lui aient été inspirées par Girolamo Bartolommei, dramaturge italien, auteur de *Polietto,* publié en 1632. Le rôle de Félix, le caractère politique de *Polyeucte* proviendraient ainsi de l'œuvre de Bartolommei. D'autre part, *Polietto* mettait en scène deux songes qui constituent sans doute une source à la prémonition de Pauline.

Il est fort probable que le « roman d'amour » qui complète *Polyeucte* soit inspiré, entre autres, de l'*Alexis* (1622) et de l'*Agatonphile* (1621) de Jean-Pierre Camus pour les sources françaises, et de *El Pintor de su deshonra* de l'Espagnol Calderón (1600-1681).

Cette combinaison d'éléments fait de *Polyeucte* plus que la simple histoire d'un martyre. La pièce est complétée et enrichie par la double influence d'un drame d'amour et d'une dimension politique.

Variantes

Le texte présenté ici est celui de 1682, date à laquelle Corneille a remanié pour la dernière fois l'édition complète de son *Théâtre*. Cependant, au cours des précédentes éditions, Corneille a considérablement modifié le texte de la pièce. La plupart de ces changements sont d'ordre syntaxique ou lexical (« infélicité » figurait par exemple au lieu de « calamité » au vers 1377) et ne font pas l'objet d'une mention spéciale dans ce Classique.

Seules la variante et les deux suppressions qui suivent ont été retenues car elles éclairent ou modifient le sens du texte.

Dans l'édition de 1643, le vers 720 (II, 6) était ainsi formulé :

Allons mourir pour lui, comme il est mort pour nous.

Jusqu'en 1656 figuraient à l'acte IV, scène 6, les vers suivants :

— à la suite du vers 1434,

Peut-être qu'après tout ces croyances publiques
Ne sont qu'inventions de sages politiques
Pour contenir un peuple ou bien pour l'émouvoir
Et dessus sa faiblesse affermir leur pouvoir.

— à la suite du vers 1436,

Jamais un adultère, un traître, un assassin ;
Jamais d'ivrognerie et jamais de larcin :
Ce n'est qu'amour entre eux, que charité sincère,
Chacun y chérit l'autre et le secourt en frère.

Dans son Avertissement aux *Œuvres* de Corneille (1738), Jolly écrit : « Quoique ces vers n'expriment que le doute vague d'un païen, à qui les extravagances de sa religion rendaient suspectes toutes les autres religions et qui n'avait aucune connaissance évidente des preuves de la nôtre, M. Corneille s'est reproché plusieurs fois de les avoir fait imprimer. »

La structure de *Polyeucte*

Dans son respect des unités, *Polyeucte* est conforme aux normes de l'époque. On peut cependant discuter de la validité de l'unité de temps : retour de Sévère, sacrifice, baptême de Polyeucte, deux martyres et deux conversions ... il y a là une certaine précipitation qui semble en effet assez peu plausible. Corneille se justifie dans son Examen (voir p. 143), mais ces controverses paraissent aujourd'hui bien dépassées.

Quant à l'unité d'action, elle semble menacée, mais Corneille a su habilement la préserver puisqu'il parvient, à l'acte III, à établir un lien solide entre les divers conflits et les personnages.

Deux conflits parallèles

La structure de *Polyeucte* fait intervenir plusieurs conflits. Dans l'acte I, au conflit de Polyeucte déchiré entre sa foi et son bonheur conjugal fait écho celui de Pauline partagée entre son amour toujours vivant pour Sévère et son devoir conjugal. Pourtant, le songe de Pauline (scène 3), en annonçant tous les protagonistes, permet à Corneille de respecter la tradition d'un premier acte d'exposition.

L'annonce du retour de Sévère, qui ferme le premier acte, paraît confirmer cette double direction. Le deuxième acte progresse de la même façon avec deux éléments majeurs : l'entrevue de Pauline et de Sévère et le baptême de Polyeucte.

Réunification

Ce n'est qu'à l'acte III que les deux conflits se fondent et que le songe de Pauline, bien qu'il se révèle inexact dans sa prémonition, prend toute sa signification. En plaçant l'action d'éclat de Polyeucte au centre de la tragédie (III, 2), Corneille installe l'action tragique et restaure l'unité d'action.

L'acte IV place tous les personnages dans un douloureux conflit en même temps qu'il constitue une épreuve de vérité pour chacun. Ouvert par les stances de Polyeucte et fermé par la difficile résolution de Sévère, l'acte IV mêle amour et élan mystique mais ces deux thèmes sont à présent parfaitement liés en un seul conflit.

Faiblesse de l'acte V ?

On a reproché à Corneille la lenteur et le manque de tension dramatique de l'acte final d'*Horace* ; l'acte V de *Polyeucte* souffre en revanche de l'excès inverse. Les conversions de Pauline et de Félix paraissent en effet bien rapides et perdent de leur force. La faiblesse de Félix ne semble pas faire de lui un candidat au christianisme et le lecteur ne peut s'empêcher de s'interroger sur la trop hâtive réunion du politique et du religieux sur laquelle Corneille voulait terminer.

Corneille, dramaturge de l'impétuosité

Des personnages sous tension

La seule mention de Corneille évoque immédiatement les notions de volonté et de devoir accompli. Le personnage cornélien demeure dans les esprits une sorte de « machine » animée par le seul désir de se dépasser et de triompher. Une lecture attentive des pièces de Corneille vient démentir cette vision de caricature.

Car, si tous les personnages de *Polyeucte* savent bien où se trouve leur devoir, ils ne cachent pas leur difficulté à l'accomplir et c'est justement cette tension qui les rend humains.

Le personnage tragique est un personnage déchiré. Ainsi, quand bien même les protagonistes (voir p. 188) peuvent symboliser des notions telles que le pardon, la fidélité à un idéal ou l'honneur, ce n'est qu'après avoir surmonté leurs pulsions, au terme d'un difficile combat intérieur.

Une opposition fondamentale

À l'origine de l'un de ces combats, un conflit implicite cher à Corneille : celui qui sous-tend les rapports entre les hommes et les femmes. Serge Doubrovsky signale dans *Corneille et la dialectique du héros* (1963) que, « comme *Horace, Polyeucte* s'ouvre sur l'opposition de l'homme et de la femme... ». C'est en effet l'aliénation de Polyeucte par Pauline que Néarque s'acharne à combattre dans la première scène. L'exclamation de Polyeucte, des vers 9 et 10, « Mais vous ne savez pas ce que c'est qu'une femme ; / Vous ignorez quels droits elle a sur toute l'âme » est un aveu. Polyeucte est en effet « possédé » par Pauline (v. 20) et cela constitue une atteinte à sa liberté. De la même manière, Pauline cherche à se libérer de son attachement pour Sévère ; et, pour Polyeucte comme pour Pauline, la fuite semble être la seule solution pour tenter de regagner l'indépendance menacée.

Des personnages emblèmes

Polyeucte, ou le renoncement à la vie

Polyeucte est un personnage troublant du fait de sa relative incohérence et semble bien loin du modèle du héros cornélien tel que l'ont défini des générations de critiques. Il est tour à tour totalement engagé dans son amour pour Pauline au point de renoncer à se faire baptiser, puis fanatique (il dépasse son ami Néarque dans son ardeur chrétienne), intraitable dans son prosélytisme, mais aussi tendre dans sa volonté d'entraîner Pauline à sa suite. En outre, son zèle et sa violence sont tempérés par son humanité et sa lucidité.

Ainsi, Polyeucte n'est pas le combattant inconscient qui court à la mort avec une joie non mêlée. Il est effleuré par la peur et quitter la vie ne lui est pas chose facile. Les stances de l'acte IV (scène 2) témoignent de sa douleur et le vers 1654 (IV, 3) « Faut-il tant de fois vaincre avant que triompher ? » montre que le renoncement est plus difficile qu'il ne l'avait supposé. L'accession à cette liberté que Polyeucte voit dans la mort est donc douloureuse mais le combat qui se livre en lui est aussi ce qui le rend attachant.

Pauline, ou le devoir

Le conflit qui anime Pauline est d'ordre sentimental. Elle a renoncé à Sévère et épousé Polyeucte sur les ordres de son père mais son cœur n'a pas suivi inconditionnellement ses actions. Dans son dialogue avec Stratonice elle admet sans détour l'amour qui l'anime encore pour Sévère et que ne remplace pas son union avec Polyeucte. Aussi son refus de voir Sévère, quand son père le lui demande, est-il motivé par une réaction de peur : elle sait qu'elle ne sortira pas indemne de l'épreuve car elle est consciente que l'honneur et le devoir ne pèseront pas lourd face au pouvoir des sens. Pauline n'est donc pas une femme dont la fermeté est inébranlable. Elle est écartelée entre son désir de rigueur et son incapacité à la vivre. Son aspiration à surmonter ses élans et la pression extérieure (l'obéissance filiale) lui permettent finalement d'accomplir son devoir.

Le vers 1335, « Sévère, connaissez Pauline toute entière » est certes révélateur du désir de transparence qu'éprouve Pauline. Elle rapportera d'ailleurs à Polyeucte (v. 610 à 620) l'aveu qu'elle a fait à Sévère au vers 505 (« Un je ne sais quel charme encor vers vous m'emporte... ») : en toutes occasions la franchise prime. Mais son combat intérieur pour se libérer de l'empire que Sévère avait sur elle ne suffira pas à lui rendre Polyeucte, qui cherche à se libérer de tout attachement humain. Sa fidélité envers son époux sera cependant récompensée par la grâce qu'il a appelée sur elle. Devenue chrétienne, Pauline retrouve Polyeucte et parvient à ne plus être l'esclave de ses sens.

Félix, ou la crise du pouvoir

« Votre ardeur vous séduit... » (v. 1707), dit Albin à Félix après le martyre de Polyeucte. Et, en effet, Félix est la proie de ses élans, ce sont « fureur » (v. 1674), « colère » et « effroi » (v. 1697) qui l'ont conduit à condamner Polyeucte. Loin de posséder la maîtrise de soi, Félix est certainement un des personnages des tragédies de Corneille qui est le moins capable de contrôler ses pulsions.

Au cours de l'acte V, Sévère en fait le portrait peu flatteur : « Père dénaturé, malheureux politique, / Esclave ambitieux d'une peur chimérique... » (v. 1747-1748) et à ce jugement sans détour, il faudrait ajouter la lâcheté, la faiblesse et l'absence totale de finesse. Félix offre donc une image bien négative du pouvoir, et son revirement de dernière minute, à l'acte V, apparaît au lecteur comme assez peu probant. Pourtant cette grâce divine qui vient racheter Félix a une fonction bien précise (sceller l'alliance du pouvoir politique et du pouvoir divin, voir p. 171) qui lui permet d'accéder à la grandeur dont il était dépourvu au cours de la pièce.

Sévère, ou la tolérance

Corneille allie en Sévère toutes les qualités que l'on peut souhaiter. Glorieux combattant, parfait amant, il est le favori de l'empereur et le spectateur ne s'en étonne pas. Face à la maladresse de Félix, il incarne toutes les valeurs de la diplomatie. Sévère ne se situe cependant pas au-delà du domaine des pulsions, il est lui aussi confronté à des mouvements intérieurs qu'il lui faut sans cesse contrôler. S'il ne peut réprimer un élan de bassesse après que Polyeucte lui a confié Pauline (IV, 5), il se reprend rapidement devant la détermination de celle-ci.

Contrepoint de Félix, il pose un regard ouvert sur la situation des chrétiens et son réquisitoire en leur faveur (IV, 6) prépare sa dernière intervention à la fin de l'acte V. Celle-ci donne un sens au martyre de Polyeucte et à la conversion de Félix et de Pauline. En laissant entrevoir la possibilité de sa conversion dans le futur, Corneille fait de Sévère le porte-parole d'un pouvoir au sein duquel la religion chrétienne aurait sa place.

La mise en place
d'un empire chrétien

Dieu contre l'empereur

Dans *Cinna,* après avoir déjoué de nombreux complots, Auguste retrouvait l'autorité suprême qui avait été menacée et ressortait grandi de l'épreuve : loin de céder à la colère et de recourir à la force, il avait pardonné à ceux qui avaient conspiré contre lui. Le trône avait tremblé mais la grandeur du pardon d'Auguste le maintenait triomphalement dans son pouvoir.

L'image du pouvoir politique que Corneille donne dans *Polyeucte* est tout autre : l'empereur Décie est absent de la scène et son représentant en la personne de Félix semble bien pâle. Comme dans *Cinna,* c'est du sein même de la famille au pouvoir que provient la remise en question de l'autorité. La conversion au christianisme de Polyeucte et son renversement des idoles indiquent sinon le rejet du pouvoir, du moins la substitution d'une autre autorité. Dieu l'emporte sur le pouvoir impérial. Si Polyeucte ne renie pas sa sujétion à l'empereur, il n'en reste pas moins qu'il la fait passer après sa sujétion à Dieu :
« Je dois ma vie au peuple, au prince, à sa couronne;
Mais je la dois bien plus au Dieu qui me la donne » (v. 1211-1212).

Mais cette dégradation du pouvoir politique débouchera à l'acte V sur la réconciliation du pouvoir politique avec la religion.

Une situation de crise

C'est dans cette perspective en effet qu'il faut comprendre le dernier acte de la pièce. La conversion de Polyeucte met en danger l'ordre, d'une part sur un plan symbolique (puisque Polyeucte, gendre du gouverneur, se devrait de montrer l'exemple), mais également sur un plan bien réel et politique (puisque le peuple se retourne contre Félix dès l'annonce du sort qui attend Polyeucte : vers 1069-1070, 1493 à 1496, 1504 et 1687).

Le dernier acte montre donc Félix dans une situation de crise. En envoyant Polyeucte à la mort, il s'est attaché, contre les conseils de Sévère, à montrer sa soumission à l'empereur, mais il a aussi perdu le contrôle de sa province. D'autre part, il n'a pas éloigné la crise qui touchait son propre toit puisque Pauline vient prendre la relève de Polyeucte.

Le triomphe du divin

Si la pièce s'achevait sur le martyre de Polyeucte, Corneille insisterait alors sur un héroïsme au service du divin mais s'exerçant contre l'autorité régnante. Or, Corneille est un fidèle sujet autant qu'il est bon catholique et il s'agit pour lui de les allier, non de prêcher l'un contre l'autre. L'Épître à la reine régente révèle d'ailleurs clairement que son idéal en matière politique est une monarchie de droit divin. Et, dans sa dédicace, Corneille investit le futur roi, alors enfant, d'une mission : être le représentant, sur terre, de la puissance divine. C'est de cette harmonie entre pouvoir et religion que résulte pour l'écrivain le triomphe des « premières armes de son roi » (p. 25, l. 27-28).

La conversion de Félix, quoique tardive, permet ainsi de fonder l'alliance de la religion et du politique plutôt que de les opposer. Ce faisant, elle remplit également une autre fonction : Polyeucte devient précurseur et non plus déclassé. La solitude écrasante, qui était le destin d'Horace, lui est épargnée puisque son action est réappropriée par Félix. Corneille récupère ainsi la part d'héroïsme individuel à l'origine du sacrifice de Polyeucte en la mettant au service d'une double autorité, divine et politique. Aussi la conversion de Félix et la promesse de Sévère de se faire

171

le défenseur des chrétiens dépossèdent-elles, d'une certaine manière, Polyeucte de son acte. Celui-ci n'en est-il pas conscient quand, aux manœuvres de Félix, il répond par cette provocation ambiguë : « Non, non, persécutez, / Et soyez l'instrument de nos félicités » (v. 1533-1534) ?

Cette attitude éclaire d'un jour nouveau les motivations qui animent Polyeucte. Son cri peut certes être lu comme une soif de souffrance pour Dieu. Mais n'indique-t-il pas également la volonté du héros de conserver entier son acte et d'en être l'unique bénéficiaire ?

Polyeucte est souvent perçu comme une apogée de la carrière de Corneille, sans doute parce qu'il semble prononcer là son dernier mot sur la place du héros dans l'Histoire et que cette pièce, où est réalisée l'alliance de la politique et de la religion, témoigne en même temps de sa foi en une monarchie de droit divin.

La mort comme ultime expression de l'héroïsme

Horace :
mourir pour ne pas déchoir

Meurtrier de sa sœur Camille, Horace « voit sa gloire ternie » (v. 1583) et il s'exclame : « La mort seule aujourd'hui peut conserver ma gloire » (v. 1580). Il ne s'agit pas pour Horace d'appeler la mort sur lui-même par fidélité à son roi mais par fidélité à l'héroïsme qui le définit. Arrivé au sommet de sa gloire, la mort lui semble préférable puisqu'elle lui évitera la déchéance. Ainsi la mort devient-elle l'ultime refuge, le lieu où le héros peut se figer dans son rôle.

Mais le héros ne choisit pas sa mort dans la tragédie ; celle-ci lui est imposée, et le roi Tulle n'accordera pas cette échappatoire à Horace : il devra vivre. Pourtant, la tentation de la mort éprouvée par Horace préfigure d'une certaine manière celle de Polyeucte.

Polyeucte : ne pas aimer vivre
ou vouloir mourir ?

                              Néarque
« Vous voulez donc mourir ?
                              Polyeucte
                    Vous aimez donc à vivre ? » (v. 673).

Un examen systématique des répliques de Polyeucte montre que la mort est un des termes clés de son discours (voir l'Index des principaux thèmes de l'œuvre, p. 150). Cela s'explique aisément dans la mesure où le propre du martyr est d'être prêt à mourir pour Dieu. En revanche, il est troublant de constater qu'à ce désir de mourir se mêle une peur de vivre. Difficile dès lors de ne pas s'interroger sur les raisons de Polyeucte à offrir ainsi sa vie.

Son dialogue avec Néarque (II, 6) met clairement au jour l'ambiguïté de Polyeucte et explique le décalage entre les deux personnages. Néarque s'en tient aux préceptes traditionnels : la palme céleste vient en récompense d'une sainte vie. Polyeucte, quant à lui, répond :

« Mes crimes, en vivant, me la pourraient ôter.
Pourquoi mettre au hasard ce que la mort assure ? »
(v. 664-665).

La mort lui apparaît donc comme une garantie, comme l'assurance d'une gloire éternelle. Car le temps est un facteur primordial, ainsi que Polyeucte le révèle à Pauline dans les vers 1192 à 1198 :

« Cette grandeur périt, j'en veux une immortelle,
Un bonheur assuré, sans mesure et sans fin,
Au-dessus de l'envie, au-dessus du destin.
Est-ce trop l'acheter que d'une triste vie
Qui tantôt, qui soudain me peut être ravie ;
Qui ne me fait jouir que d'un instant qui fuit,
Et ne peut m'assurer de celui qui le suit ? »

Comme Horace, Polyeucte associe son désir de mourir à son désir de grandeur. Cependant, le discours d'Horace indique clairement que ses motivations sont individuelles, alors que la tentation de la mort éprouvée par Polyeucte est simultanément voilée et justifiée par la religion. Voilée, car on la croit commandée par les seuls effets de la grâce qui a touché Polyeucte (et la tentation de mourir prend les traits d'une mission) ; justifiée, parce qu'il voit dans le don de soi la plus grande preuve de sa foi en Dieu.

« Polyeucte aura ce qu'il désire », décrète Félix (v. 954) et il s'agit en effet bien de cela. Le sacrifice de soi devient la réponse à son angoisse de vivre et à son désir de gloire : il permet à Polyeucte de quitter la vie de façon héroïque sans avoir à admettre, comme Horace, que la mort constitue l'unique solution. Le héros accède ainsi à la gloire en niant la vie et sous couvert, en quelque sorte, de l'autorité divine.

Polyeucte, martyr
et héros de tragédie :
une contradiction ?

Contre Aristote

Dans son analyse des préceptes d'Aristote, Corneille remarque :
« L'exclusion des personnes tout à fait vertueuses qui tombent
dans le malheur bannit les martyrs de notre théâtre. Polyeucte y
a réussi contre cette maxime... » (*Discours de la tragédie,* 1660).

Par ailleurs, le sujet tragique est entraîné dans les rouages
d'une machine dont le contrôle lui échappe : il est écartelé, divisé
et c'est cette fissure de son être qui fait de lui un héros tragique.
Polyeucte semble échapper au tragique dans la mesure où, si sa
foi l'obligeait moralement à recevoir le baptême, son action
d'éclat, « renverser les idoles », n'était pas nécessaire et ne lui
était dictée par personne. Il s'agit là d'une action volontaire.

L'Église, d'autre part, condamne le zèle : on ne force pas la
main de Dieu ; on reçoit la grâce, on « ne se fait pas » saint. C'est
pourtant là ce que fait Polyeucte ; en se rendant au temple, il
manifeste son individualisme et son fanatisme et révèle clairement un certain manque d'humilité.

« Fier-à-bras » ou « saint Polyeucte » ?

Ces jugements contradictoires de Paul Claudel et de Charles
Péguy, tous deux chrétiens, résument bien le problème que
soulève *Polyeucte* et que les contemporains de Corneille n'avaient
pas manqué de souligner.

Certes, après une première lecture, le lecteur d'aujourd'hui se rangera probablement du côté du « fier-à-bras » de Claudel. Polyeucte lui apparaîtra davantage comme un rebelle provocateur que comme une figure de la modestie chrétienne.

On ne peut nier toutefois que le prosélytisme dont fait preuve Polyeucte témoigne en faveur du christianisme et que les effets de la grâce sont ici efficaces et triomphants.

Polyeucte, une pièce ambiguë

Polyeucte traite de conflits d'ordre politique, sentimental et religieux, mais également de la place du héros et de la prise en charge par celui-ci de son propre destin et de sa gloire.

« C'est de moi seulement que je prendrai la loi », s'exclame Alidor dans *la Place royale* (acte V, sc. 8). Ces mots pourraient être ceux de Polyeucte. En effet, il ne se met pas « hors la loi » de Félix pour se mettre sous celle de Dieu : il prend de lui seul sa loi qu'il met ensuite au service de Dieu. Péguy notait déjà que *Polyeucte* pouvait être lu comme « un faîte unique d'héroïsme dans la sainteté », mais aussi comme « un faîte unique de sainteté dans l'héroïsme ».

Un simple examen des définitions offertes par le *Grand Dictionnaire de la langue française* (Larousse) met en lumière le problème posé par le personnage de Polyeucte :

saint : personne qui a pratiqué les vertus évangéliques d'une manière exemplaire jusqu'à sa mort et qui a été reconnue digne par l'Église de recevoir un culte des fidèles.

martyr : personne qui a souffert la mort pour avoir refusé d'abjurer sa foi.

héros : homme qui manifeste sa supériorité en un domaine particulier, qui porte une qualité morale ou intellectuelle, et, par extension, un défaut, au suprême degré.

Il paraît bien difficile de ranger Polyeucte dans la catégorie des saints : la sainteté ne couronne pas la mort mais la perfection chrétienne pendant la vie (on retrouve les arguments développés par Néarque à l'acte II, scène 6). Une unique action d'éclat dont on sait qu'elle entraînera la mort constitue-t-elle un haut fait de chrétienté ? Cela semble douteux.

En revanche, Polyeucte est bien un martyr, cela est sûr si l'on s'en tient à la définition. Mais quelle sorte de héros est-il donc ?

Que l'on voie en *Polyeucte* une œuvre chrétienne ou bien, qu'en accord avec Serge Doubrovsky, on s'accorde à penser que « *Polyeucte* n'est point, malgré les apparences, une pièce chrétienne », on ne peut manquer d'être intrigué par cette tragédie de Corneille. En effet, le héros ne le reste que par la mort et son sacrifice est en même temps validé et détourné par le pouvoir au moment du dénouement.

Le paradoxe de *Polyeucte,* c'est de n'être sans doute une pièce ni chrétienne ni antichrétienne mais de trouver sa richesse dans cette ambiguïté.

Polyeucte et les critiques

La polémique au XVIIe siècle

Le mélange de sacré et de profane à l'œuvre dans *Polyeucte* soulève de nombreuses objections et, quoique la pièce ait été bien accueillie par le public, des jugements sévères se font aussi entendre.

Que les auteurs prennent garde de ne pas mêler aux tragédies saintes les galanteries du siècle, et de laisser paraître des passions humaines qui donnent de mauvaises idées aux spectateurs et les portent à des pensées vicieuses. Car ce mélange fait qu'elles deviennent odieuses par la sainteté du sujet, ou que la sainteté du sujet est méprisée par la complaisance que plusieurs ont à cette coquetterie. C'est la faute où M. Corneille est tombé dans le *Martyre de Polyeucte*, où, parmi tant de propos chrétiens et tant de beaux sentiments de la religion, Pauline fait avec Sévère un entretien si peu convenable à une honnête femme.

Abbé d'Aubignac,
Pratique du théâtre, 1657.

L'esprit de notre religion est directement opposé à celui de la tragédie. L'humilité et la patience de nos saints sont trop contraires à la vertu des héros que demande le théâtre. Quel zèle, quelle force le ciel n'inspire-t-il pas à Néarque et à Polyeucte ? Et que ne font pas ces nouveaux chrétiens pour répondre à ces heureuses inspirations ? [...] Insensible aux prières et aux menaces, Polyeucte a plus envie de mourir pour Dieu que les autres hommes n'en n'ont de vivre pour eux. Néanmoins, ce qui eût fait un beau sermon faisait une misérable tragédie, si les entretiens de Pauline et de Sévère, animés d'autres sentiments et d'autres passions, n'eussent conservé à l'auteur la réputation que les vertus chrétiennes de nos martyrs lui eussent ôtée.

Saint-Évremond,
De la tragédie ancienne et moderne, 1672.

179

Voltaire et *Polyeucte*

Polyeucte n'est plus, au XVIIIe siècle, une œuvre que l'on juge au nom de la morale. L'intervention du profane dans le sacré ne choque plus. On s'attarde davantage sur l'intérêt de la pièce et sur les personnages.

Voltaire a abondamment commenté les œuvres de Corneille sur un ton acerbe mais également, au fil des années, avec admiration.

> De Polyeucte la belle âme
> Aurait faiblement attendri
> Et les vers chrétiens qu'il déclame
> Seraient tombés dans le décri,
> N'eût été l'amour de sa femme
> Pour ce païen son favori
> Qui méritait bien mieux sa flamme
> Que son bon dévôt de mari.

Voltaire, Épître dédicatoire de « Zaïre », 1733.

On devient enthousiaste avec Polyeucte. [...] Dacier attribue tout le succès à Sévère et Pauline. Cette opinion est assez générale. Mais il faut avouer qu'il y a de très beaux traits dans le rôle de Polyeucte et qu'il a fallu un grand génie pour manier un sujet si difficile.

Voltaire, Commentaire sur Corneille, 1764.

Claudel et Péguy devant *Polyeucte*

Avec ces deux écrivains catholiques, le débat est de nouveau placé sur le plan théologique. Péguy, même s'il reconnaît l'ambiguïté de la pièce, voit en *Polyeucte* « une réussite unique ». Mais Claudel la juge plus sévèrement.

Ce qui fait la grandeur de cette prière et de cette intercession, ce qui en fait la reculée et en même temps l'exactitude, c'est qu'au premier plan elle est d'abord littéralement une prière ordinaire, une prière de la terre, une prière d'homme, comme nous pouvons, comme nous en devons tous faire, la prière d'un mari chrétien pour la femme infidèle [non-croyante]. Et ensemble, au deuxième plan, au deuxième degré, c'est dedans, c'est déjà une prière de l'intercession. [...] Polyeucte prie déjà pour sa femme comme un martyr dans le ciel prie pour sa femme qui est restée sur terre.

Charles Péguy, Victor-Marie, comte Hugo, N.R.F., 1910.

Je suis étonné de votre affirmation que Corneille est le plus grand des poètes chrétiens. Certainement il a appliqué à des textes religieux son sinistre talent de tourner tout en pensum. Mais que faites-vous de toute son œuvre, qui est la négation même du christianisme, et où ne pénètre pas un seul rayon de l'Évangile ? Car Polyeucte n'est pas autre chose qu'un fier-à-bras grotesque, et ce n'est pas avec des tirades et des rodomontades imbéciles qu'on affronte l'Enfer ! Tout le reste n'est qu'orgueil, exagération, pionnerie, ignorance de la nature humaine, cynisme et mépris des vérités les plus élémentaires de la morale.

Lettre de Paul Claudel à Robert Brasillach,
parue dans Notre avant-guerre, de R. Brasillach, Plon, 1941 (D.R.).

La critique contemporaine

La critique de ces trente dernières années s'est surtout attachée à offrir une lecture globale de l'œuvre de Corneille et à en dégager les grandes tendances. Certains critiques ont tenté d'analyser la problématique politique de *Polyeucte*.

La préoccupation de l'ordre et de l'état se trouve donc au cœur de *Polyeucte*, mais elle ne prend tout son sens qu'au dernier acte.

La conversion de Félix ne peut être simplement considérée comme un événement fortuit et scandaleux. Ou plutôt, le scandale est nécessaire : il a une valeur proprement « révolutionnaire ». Lorsque Corneille nous dit que cette conversion sert « à remettre le calme dans son esprit » et « à le retirer du théâtre » (Examen), nous voyons bien qu'il ne peut s'agir que d'une vérité superficielle. Car enfin, le caractère miraculeux de cette conversion que Corneille croit devoir défendre contre ceux qui se choquent de voir Dieu agir sur le théâtre, n'ôte rien à sa nécessité dialectique. Le miracle est nécessaire à la permanence de l'ordre temporel. Il remet sur ses fondations l'édifice de l'état menacé par la sainte folie de Polyeucte, et l'intervention même de Sévère qui s'exprime ici en porte-parole, en conseiller écouté de l'empereur, est garante de cette véritable révolution politique...

Michel Beaujour, « *Polyeucte* et la monarchie de droit divin »,
The French Review, vol. 36, n. 4 (avril 1963).

Polyeucte a pu longtemps passer pour une tragédie chrétienne, parce qu'on s'est attaché à la littéralité et à l'orthodoxie parfaites du langage religieux, sans chercher à comprendre la pièce dans la perspective d'ensemble du théâtre cornélien. C'est comme si *la Condition humaine* était un livre « communiste », du fait que Malraux nous y montre des militants convaincus jusqu'à la mort. Les communistes ne s'y trompent pas ; pas plus que ne se méprennent sur le sens « chrétien » de *Polyeucte* bien des gardiens avertis de la foi, des Jansénistes à Claudel. On trouve, en effet, tous les éléments de la dogmatique, de la mystique et de la propagande chrétiennes [...]. Mais ce qu'il faut se demander, c'est *dans quel esprit* ils sont utilisés, à quelle fin ils concourent, quelle signification ils prennent dans le contexte cornélien. [...]

Si, en effet, Corneille déclare dans sa Dédicace que sa pièce nous « entretiendra de Dieu », si Dieu est à l'horizon de tous les désirs et de toutes les pensées que puissent former la conscience chrétienne et la conscience aristocratique, ce n'est nullement de la même manière : dans un cas, il s'agit d'*être-pour Dieu* ; dans l'autre d'*être-Dieu*. Ce sont deux attitudes qui peuvent un moment se recouper, mais sans jamais se confondre, puisque, pour l'homme chrétien, il s'agit de rendre sa place à Dieu ; pour l'homme aristocratique, de la lui prendre. [...] Le héros n'est donc pas, comme le chrétien, le serviteur, mais le *rival* de Dieu, le seul que, dans son désir de domination absolue, le héros reconnaisse digne de lui.

Serge Doubrovsky, *Corneille ou la dialectique du héros*, Gallimard, 1963.

Chaque pas de Polyeucte vers Dieu entraîne un pas de Pauline vers Polyeucte, qui s'empare de l'âme de sa femme dans la mesure même où il semble lui préférer Dieu. C'est en raison de cette préférence, de ce choix héroïque, qu'il l'entraîne, l'attire à soi, se fait aimer ; nulle trace de jalousie, de sentiments troubles ; tout simplement Polyeucte, s'élevant au-dessus de Pauline, l'aspire dans son sillage. Héros glorieux, il produit un appel d'air qui soulève et projette dans l'altitude tout ce qui l'entoure, comme le faisait Auguste au dernier acte de *Cinna*.

Jean Rousset, *Forme et signification*, José Corti, 1963.

Avant ou après la lecture

Lectures et mises en scène

1. La mise en scène de *Polyeucte* présentée par Jean Marchat à la Comédie-Française en 1960 tendait à accentuer l'aspect comédie de la pièce. Cela paraît-il possible et souhaitable ? Quels sont les personnages et les scènes qui pourraient se prêter à une telle interprétation ?

2. La tolérance des croyances de chacun est un des thèmes au centre de *Polyeucte*. Peut-on imaginer une transposition contemporaine de cette pièce ? Quels sont les éléments qui devraient être modifiés ?

Exposés

3. Le rôle de la politique dans *Polyeucte*.

— En quoi Sévère et Félix représentent-ils deux images de l'homme politique ?

— Peut-on comparer le dilemme de Félix à celui devant lequel Créon est placé dans *Antigone* de Jean Anouilh (voir p. 153) ? Envisagent-ils l'exercice du pouvoir de la même manière ?

4. Montrer l'aliénation de Pauline, déchirée entre le devoir, l'obéissance et ses propres sentiments.

5. Les multiples facettes de l'héroïsme.

— Polyeucte a-t-il des affinités avec d'autres héros des pièces de Corneille ?

— Y a-t-il d'autres personnages de *Polyeucte* que l'on pourrait qualifier d'héroïques ?

6. Étudier la scène de l'aveu dans *la Princesse de Clèves* et la comparer au double aveu que fait Pauline à Sévère puis à Polyeucte.

Commentaires composés

Des suggestions se trouvent dans les guides de lecture.

Dissertations

7. Le prince de Condé fait les remarques suivantes dans son *Traité de la comédie* (1666) :
« En vérité, y a-t-il rien de plus sec et de moins agréable que ce qui est de saint dans cet œuvre ? Y a-t-il personne qui ne soit mille fois plus touché de l'affliction de Sévère, lorsqu'il trouve Pauline mariée, que du martyre de Polyeucte ? »
Commenter ce jugement.

8. Voltaire voit dans la scène 5 de l'acte IV « une des plus belles scènes qui soient au théâtre ». Expliquer et discuter.

9. Dans l'*Art poétique* (1674), Boileau déclare :
« De la foi d'un chrétien les mystères terribles
D'ornements égayés ne sont pas susceptibles. »
Quels sont les « embellissements », comme les nomme Corneille, qui peuvent choquer Boileau dans *Polyeucte ?*

10. Retracer l'évolution spirituelle de Polyeucte. Pourquoi Corneille n'est-il pas précis sur le moment où Polyeucte est touché par la grâce ?

11. Polyeucte est-il un héros tragique ? Pourquoi ?

12. Le critique Sainte-Beuve (1804-1869) dit de Sévère qu'il représente « "l'idéal humain" de la pièce, dont le reste exprime l'idéal chrétien ». Commenter cette remarque.

Sujets d'imagination

13. Composer une des scènes absentes de la pièce, par exemple l'éclat public de Polyeucte, le premier entretien entre Polyeucte et Félix (entre l'acte III et l'acte IV) ou l'entrevue de Félix avec Sévère (entre l'acte IV et l'acte V).

Bibliographie

Édition
L'édition de référence est celle de G. Couton et M. Rat : *Corneille, théâtre complet*, Garnier, coll. « Classiques », 3 volumes, 1971. *Polyeucte* est publié dans le tome 1.

Ouvrages généraux
P. Bénichou, *Morales du Grand Siècle*, Gallimard, 1948, rééd. en coll. « Folio Essais ».

J. Morel, *la Tragédie*, A. Colin, 1970.

J. Schérer, *la Dramaturgie classique en France*, Nizet, 1959.

Corneille et *Polyeucte*
B. Dort, *Corneille dramaturge*, L'Arche, 1957.

S. Doubrovsky, *Corneille et la dialectique du héros*, Gallimard, 1963, rééd. en coll. « Tel ».

O. Nadal, *le Sentiment de l'amour dans l'œuvre de Pierre Corneille*, Gallimard, 1948.

M. Prigent, *le Héros et l'État dans la tragédie de Pierre Corneille*, P.U.F., 1986.

M. O. Sweetser, *la Dramaturgie de Corneille*, Droz, 1977.

Petit dictionnaire pour commenter *Polyeucte*

allitération *(nom fém.)* : répétition d'une même consonne à l'intérieur d'une phrase ou d'un vers pour en renforcer le sens. Ex. : « Hélas! cette vertu quoique enfin invincible
Ne laisse que trop voir une âme trop sensible.
Ces pleurs en sont témoins, et ces lâches soupirs... »
(v. 533 à 535, allitération en [s]).

anaphore *(nom fém.)* : fait de commencer plusieurs phrases ou plusieurs vers successifs par le même mot ou la même expression. Ex. :
« Après avoir deux fois essayé la menace,
Après m'avoir fait voir Néarque dans la mort,
Après avoir tenté l'amour et son effort,
Après m'avoir montré cette soif du baptême... »
(v. 1648 à 1651).

assonance *(nom fém.)* : répétition d'une même voyelle à l'intérieur d'une phrase ou d'un vers pour en renforcer le sens. Ex. :
« Tu me quittes, ingrat, et le fais avec joie;
Tu ne la caches pas, tu veux que je la voie »
(v. 1247-1248, assonance en [a]).

bienséances *(nom fém. pl.)* : la règle des bienséances du théâtre classique interdit de porter sur la scène tout acte violent ou choquant.

chiasme *(nom masc.)* : dans deux membres de phrase parallèles, inversion dans la deuxième partie de la phrase des mots ou de la structure syntaxique de la première. Ex. : « Et frappe d'autant plus que plus il me surprend » (v. 408).

diérèse : *(nom fém.)* : prononciation dans une syllabe des deux voyelles pour obtenir un pied de plus. Ex. : vi/o/lence (v. 457).

dilemme *(nom masc.)* : alternative contenant deux propositions contradictoires entre lesquelles il faut choisir.

emblème *(nom masc.)* : personne ou objet qui représente ou symbolise un ensemble de valeurs.

exposition *(nom fém.)* : partie de la pièce, qui présente les personnages et les éléments nécessaires à la compréhension. Dans le théâtre classique, le premier acte est l'acte d'exposition.

galant (vocabulaire) : mots ou expressions se rapportant au domaine amoureux que les romans sentimentaux avaient mis au goût du jour. Ex. : « feu », « objet de ma flamme ».

hagiographe *(nom masc.)* : écrivain dont l'œuvre s'attache à raconter la vie des saints.

métaphore *(nom fém.)* : identification d'un mot à un autre alors qu'ils devraient être seulement comparés (absence de termes comparatifs du type « comme » ou « ainsi que »). Ex. : « Tigre altéré de sang, Décie impitoyable » (v. 1125).

métonymie *(nom fém.)* : procédé qui consiste à exprimer une chose à l'aide d'une autre chose qui a rapport avec elle, par exemple l'effet par la cause, le tout par la partie, le concret par l'abstrait. Ex. : « la vengeance à la main » (v. 221) où « vengeance » signifie « l'arme de sa vengeance ».

périphrase *(nom fém.)* : expression d'une notion par plusieurs mots alors qu'un seul suffirait. Ex. : « Cet agent fatal de tes mauvais destins » (v. 127) pour définir Néarque.

polémique *(nom fém.)* : débat par écrit, vif ou agressif.

protagoniste *(nom masc.)* : l'un des principaux personnages.

stances *(nom fém. pl.)* : poème composé de plusieurs strophes. Ex. : les stances de Polyeucte (acte IV, scène 2).

stichomythie *(nom fém.)* : dialogue vif constitué de répliques composées d'un seul vers. Ex. : le dialogue de Sévère et Pauline (acte II, scène 2, v. 545 à 550).

tirade *(nom fém.)* : longue suite de vers récitée par un seul personnage. Ex. : acte I, scène 3, v. 190 à 218.

tragédie *(nom fém.)* : pièce de théâtre dont les personnages illustres sont aux prises avec un destin malheureux et dont le but est d'inspirer crainte et pitié chez le spectateur.

tragi-comédie *(nom fém.)* : pièce de théâtre dont le sujet et les personnages relèvent de la tragédie mais dont le dénouement (heureux) tient de la comédie.

unité *(nom fém.)* : dans le théâtre classique, les auteurs devaient respecter la « règle des trois unités » (temps, lieu et action). L'action devait se dérouler en un seul jour, dans un seul lieu et n'être constituée que d'un seul sujet.

Dans la nouvelle collection
Classiques Larousse

H.C. Andersen : *La Petite Sirène, et autres contes.*

H. de Balzac : *les Chouans.*

P. de Beaumarchais : *le Mariage de Figaro* (à paraître).

F.R. de Chateaubriand : *Mémoires d'outre-tombe* (à paraître); *René.*

P. Corneille : *le Cid; Cinna; Horace.*

A. Daudet : *les Lettres de mon moulin* (à paraître).

G. Flaubert : *Hérodias; Un cœur simple* (à paraître).

J. et W. Grimm : *Hansel et Gretel, et autres contes.*

V. Hugo : *Hernani.*

E. Labiche : *la Cagnotte.*

La Bruyère : *les Caractères* (à paraître).

La Fontaine : *Fables* (livres I à VI).

P. de Marivaux : *l'Ile des esclaves; la Double Inconstance; les Fausses Confidences* (à paraître); *le Jeu de l'amour et du hasard.*

G. de Maupassant : *la Peur, et autres contes fantastiques; Un réveillon, et nouvelles de Normandie.*

P. Mérimée : *Carmen; Colomba; Mateo Falcone* (à paraître); *la Vénus d'Ille.*

Molière : *Amphitryon; l'Avare; le Bourgeois gentilhomme; Dom Juan; l'École des femmes; les Femmes savantes; les Fourberies de Scapin; George Dandin; le Malade imaginaire; le Médecin malgré lui; le Misanthrope; les Précieuses ridicules; le Tartuffe.*

Ch. L. de Montesquieu : *Lettres persanes.*

A. de Musset : *les Caprices de Marianne* (à paraître); *Lorenzaccio; On ne badine pas avec l'amour* (à paraître).

Les Orateurs de la Révolution Française.

Ch. Perrault : *Contes ou histoires du temps passé.*

E.A. Poe : *la Lettre volée, et autres nouvelles de mystère* (à paraître).

J. Racine : *Andromaque; Bérénice; Britannicus; Iphigénie; Phèdre.*

E. Rostand : *Cyrano de Bergerac.*

Le Surréalisme et ses alentours (à paraître).

Voltaire : *Candide; Zadig* (à paraître).

(Extrait du catalogue général des *Classiques Larousse*.)

Conception éditoriale : Noëlle Degoud.

Conception graphique : François Weil.

Coordination éditoriale : Emmanuelle Fillion, Marianne Briault et Marie-Jeanne Miniscloux.

Collaboration rédactionnelle : Catherine Le Bihan.

Coordination de fabrication : Marlène Delbeken.

Documentation iconographique : Nicole Laguigné.

Schéma p. 8 : Thierry Chauchat et Jean-Marc Pau.

Sources des illustrations

Agence de Presse Bernand : p. 43, 78, 91, 100, 133.

Bibliothèque nationale : p. 5.

Marc Enguérand : p. 52, 59, 83, 108, 120.

Giraudon : p. 137.

Larousse : p. 12.

Roger-Viollet, © Collection Viollet : p. 16, 70, 140.

Roger-Viollet, © ND-Viollet : p. 22.

COMPOSITION : OPTIGRAPHIC.

IMPRIMERIE HÉRISSEY. — 27000 ÉVREUX. — N° 55265.

Dépôt légal : septembre 1991. N° de série Éditeur : 15891.

IMPRIMÉ EN FRANCE *(Printed in France)* 871105 — septembre 1991.